상위권으로 가는 문제 해결 연산 학습지

# 응용 연산

A4
초1 ~ 초2

받아올림, 받아내림이 있는
두 자리 수의 덧셈과 뺄셈

Creative to Math

# 응용연산 : 상위권으로 가는 문제해결 연산 학습지

요즘 아이들은 초등학교 입학 전에 연산 문제집 한 권 정도는 풀어본 경험이 있습니다. 어릴 때부터 연산 문제를 많이 풀었기 때문에 아이들은 아직 학교에서 배우지 않은 계산 문제를 슥슥 풀어서 부모님들을 흐뭇하게 만들기도 합니다. 그런데 아이들의 연산 능력은 날로 높아지지만 수학 실력은 과거에 비해 그다지 늘지 않은 것 같습니다. 사실 진짜 수학 실력은 연산 문제나 사고력 수학 문제를 주로 푸는 초등 저학년 때는 잘 드러나지 않습니다. 응용 문제를 본격적으로 풀기 시작하는 초등 3, 4학년이 되어서야 아이의 수학 실력을 판별할 수 있습니다.

초등 수학에서 연산이 가장 중요한 것은 부정할 수 없는 사실입니다. 중학생, 고등학생이 되어서 부족한 연산 능력을 키우는 것은 거의 불가능합니다. 이러한 연산의 특수성 때문에 아이들은 어린 나이부터 연산을 반복적으로 연습하여 실력을 키우려고 합니다. 이렇게 열심히 연산을 공부하는데도 왜 어떤 아이들은 수학 문제를 잘 풀지 못하는 것일까요? 그 이유는 현재 연산 학습의 목적이 단지 '계산을 잘 하는 것'이 되어버렸기 때문입니다. 연산은 연산 자체가 목적이 될 수 없으며 수학의 진짜 목표인 문제를 잘 풀기 위한 수단으로 연산을 학습해야 합니다.

과거 초등 수학 교과서의 연산 단원은 ① 원리와 연습 ② 문장제 활용의 단순한 구성이었습니다만 요즘의 교과서는 많이 달라졌습니다. 원리와 연습은 그대로이거나 조금 줄었지만 연산을 응용하는 방식은 좀 더 다양해졌습니다. 계산 능력의 향상만을 꾀하는 것이 아니라 여러 가지 퍼즐이나 수학적 상황 등을 해결할 수 있는 '응용력'에 초점을 맞추고 있다는 것을 보여주는 변화입니다. 따라서 저희는 연산 학습지도 원리나 연습 위주에서 벗어나 실제 문제를 해결할 수 있는 능력에 포인트를 맞추어야 한다고 생각합니다.

'연산은 잘 하는데 수학 문제는 왜 못 풀까요?'에 대한 대답이자 대안으로 저희는 「응용연산」이라는 새로운 컨셉의 연산 학습지를 만들었습니다. 연산 원리를 이해하고 연습하는 것에 그치지 않고, 익힌 것을 활용하는 방법을 바로 보여줄 수 있어야 아이들이 수학 문제에 연산을 효과적으로 적용할 수 있습니다. 연습은 꼭 필요한 만큼만 하고, 더 중요한 응용 문제에 바로 도전함으로써 연산과 문제 해결이 단절되지 않게 하는 것이 「응용연산」에서 기대하는 가장 큰 목표입니다.

「응용연산」을 통해 아이들이 왜 연산을 해야 하는지 스스로 느낄 수 있을 것이라 자신합니다. 이제 연산은 '원리'나 '연습'이 아닌 스스로 문제를 해결할 수 있는 '응용력'입니다.

# 응용연산의 구성과 특징

- 매일 부담없이 4쪽씩 연산 학습
- 매주 4일간 단계별 연산 학습과 응용 문제를 통한 연산 실력 확인
- 매주 1일 형성평가로 테스트 및 복습

## 주차별 구성

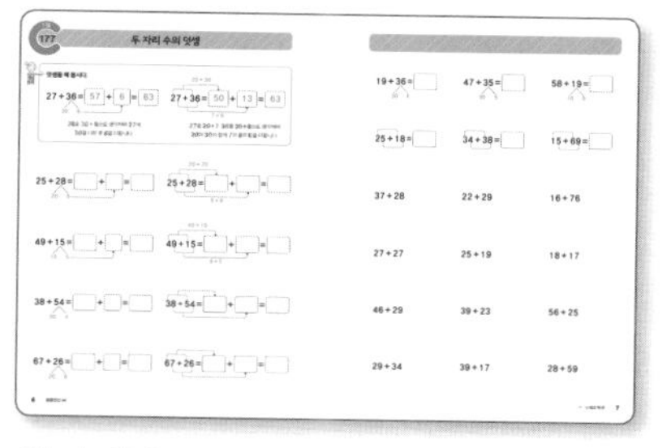

### 원리연산

대표 문제를 통해 학습하는 매일 새로운 단계별 연산 학습

### 응용연산

기본 문제와 응용 문제를 통한 응용력과 문제해결력 증진

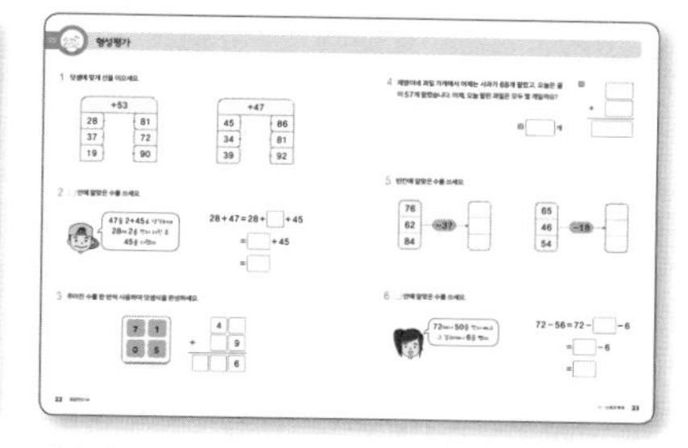

### 형성평가

가장 중요한 유형을 다시 한번 복습하며 주차 학습 마무리

| | 1일 | 2일 | 3일 | 4일 | 5일 |
|---|---|---|---|---|---|
| 1주차 | 6쪽 ~ 9쪽 | 10쪽 ~ 13쪽 | 14쪽 ~ 17쪽 | 18쪽 ~21쪽 | 22쪽 ~ 24쪽 |
| 2주차 | 26쪽 ~ 29쪽 | 30쪽 ~ 33쪽 | 34쪽 ~ 37쪽 | 38쪽 ~41쪽 | 42쪽 ~ 44쪽 |
| 3주차 | 46쪽 ~ 49쪽 | 50쪽 ~ 53쪽 | 54쪽 ~ 57쪽 | 58쪽 ~61쪽 | 62쪽 ~ 64쪽 |
| 4주차 | 66쪽 ~ 69쪽 | 70쪽 ~ 73쪽 | 74쪽 ~ 77쪽 | 78쪽 ~81쪽 | 82쪽 ~ 84쪽 |

## 정답 및 해설

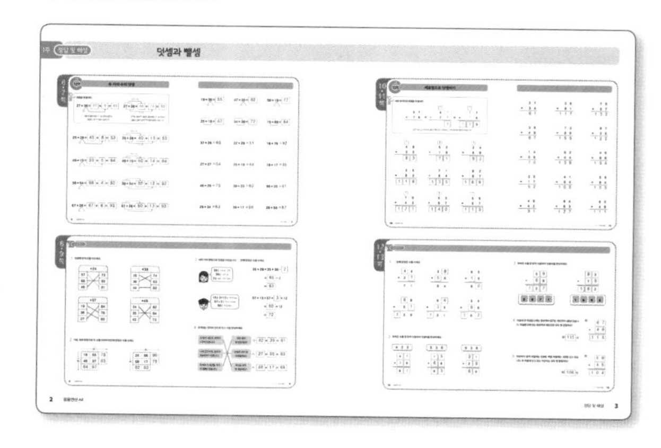

문제와 답을 한눈에 볼 수 있습니다.

# 이 책의 차례

# 덧셈과 뺄셈

## 받아올림, 받아내림이 있는 두 자리 수의 덧셈과 뺄셈

# 두 자리 수의 덧셈

덧셈을 해 봅시다.

$27+36=\boxed{57}+\boxed{6}=\boxed{63}$ (36 → 30, 6)

36을 30+6으로 생각하여 27에 30을 더한 후 6을 더합니다.

$27+36=\boxed{50}+\boxed{13}=\boxed{63}$ (20+30, 7+6)

27을 20+7, 36을 30+6으로 생각하여 20과 30의 합에 7과 6의 합을 더합니다.

$25+28=\square+\square=\square$ (28 → 20, 8)

$25+28=\square+\square=\square$ (20+20, 5+8)

$49+15=\square+\square=\square$ (15 → 10, 5)

$49+15=\square+\square=\square$ (40+10, 9+5)

$38+54=\square+\square=\square$ (54 → 50, 4)

$38+54=\square+\square=\square$

$67+26=\square+\square=\square$ (26 → 20, 6)

$67+26=\square+\square=\square$

$19 + 36 = \square$ (30, 6)

$47 + 35 = \square$ (30, 5)

$58 + 19 = \square$ (10, 9)

$25 + 18 = \square$

$34 + 38 = \square$

$15 + 69 = \square$

$37 + 28$

$22 + 29$

$16 + 76$

$27 + 27$

$25 + 19$

$18 + 17$

$46 + 29$

$39 + 23$

$56 + 25$

$29 + 34$

$39 + 17$

$28 + 59$

1 덧셈에 맞게 선을 이으세요.

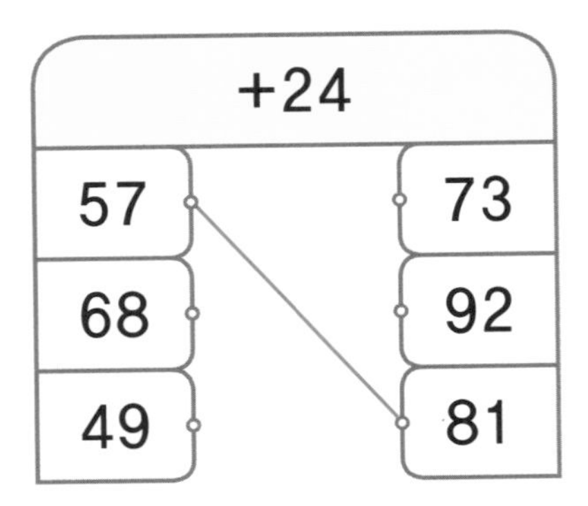


+38

25 36 44

74 63 82

+57

19 36 27

84 76 93

+49

24 35 43

92 84 73

2 가로, 세로 방향으로 두 수를 더하여 빈칸에 알맞은 수를 쓰세요.

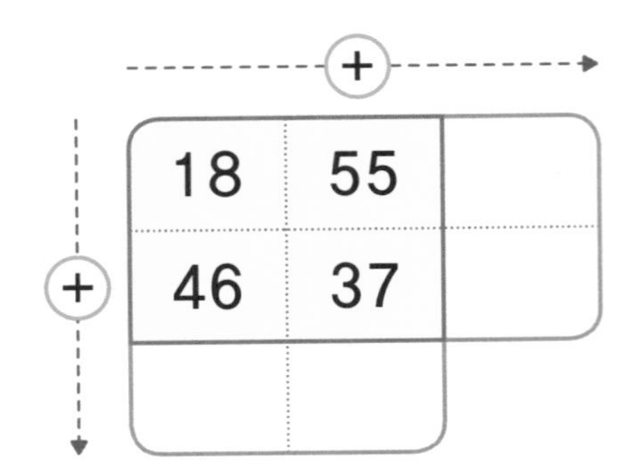


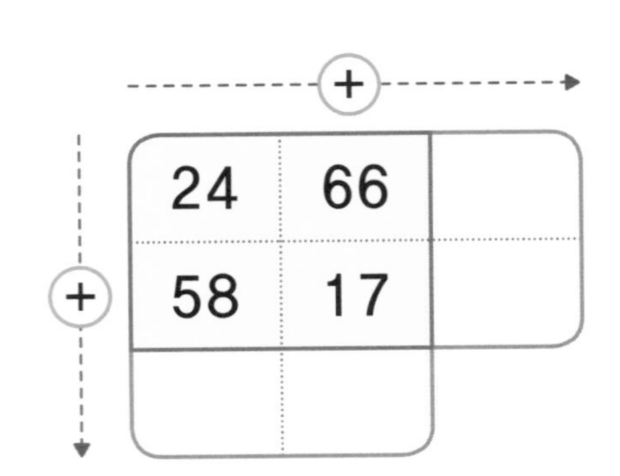

3 여러 가지 방법으로 덧셈을 하였습니다. □ 안에 알맞은 수를 쓰세요.

28을 더하는 것은
30을 더한 후
2를 빼는 것과 같아.

$35+28=35+30-\square$

$=\square-2$

$=\square$

15를 3+12로 생각하여
57에 3을 먼저 더하여
60을 만들었어.

$57+15=57+\square+12$

$=\square+12$

$=\square$

4 관계있는 것끼리 선으로 잇고 식을 완성하세요.

오이가 48개, 호박이 17개 있습니다. · · 옷은 모두 몇 벌일까요? ⇨ □ + □ = □

나비가 27마리, 잠자리가 56마리 있습니다. · · 곤충은 모두 몇 마리일까요?

티셔츠가 42벌, 바지가 39벌 있습니다. · · 채소는 모두 몇 개일까요? ⇨ □ + □ = □

# 세로셈으로 덧셈하기

세로 방식으로 덧셈을 해 봅시다.

|   | 5 | 7 |
|---|---|---|
| + | 7 | 6 |

➡

|   | 1 |   |
|---|---|---|
|   | 5 | 7 |
| + | 7 | 6 |
|   |   | 3 |

➡

|   |   | 1 |   |
|---|---|---|---|
|   |   | 5 | 7 |
| + |   | 7 | 6 |
|   | 1 | 3 | 3 |

같은 자리 숫자끼리의 합이 10이거나 10보다 크면 받아올려서 계산합니다.

|   | □ |   |
|---|---|---|
|   | 4 | 8 |
| + | 3 | 5 |
|   | □ | □ |

|   | □ |   |
|---|---|---|
|   | 5 | 2 |
| + | 1 | 9 |
|   | □ | □ |

|   | □ |   |
|---|---|---|
|   | 2 | 4 |
| + | 6 | 8 |
|   | □ | □ |

|   |   | 3 | 5 |
|---|---|---|---|
| + |   | 8 | 3 |
|   | □ | □ | □ |

|   |   | 7 | 1 |
|---|---|---|---|
| + |   | 6 | 4 |
|   | □ | □ | □ |

|   |   | 8 | 2 |
|---|---|---|---|
| + |   | 8 | 7 |
|   | □ | □ | □ |

|   |   | □ |   |
|---|---|---|---|
|   |   | 7 | 8 |
| + |   | 4 | 3 |
|   | □ | □ | □ |

|   |   | □ |   |
|---|---|---|---|
|   |   | 5 | 3 |
| + |   | 8 | 7 |
|   | □ | □ | □ |

|   |   | □ |   |
|---|---|---|---|
|   |   | 5 | 6 |
| + |   | 5 | 7 |
|   | □ | □ | □ |

$$\begin{array}{r} 27 \\ +\ 34 \\ \hline \end{array}$$

$$\begin{array}{r} 36 \\ +\ 81 \\ \hline \end{array}$$

$$\begin{array}{r} 75 \\ +\ 57 \\ \hline \end{array}$$

$$\begin{array}{r} 38 \\ +\ 49 \\ \hline \end{array}$$

$$\begin{array}{r} 73 \\ +\ 86 \\ \hline \end{array}$$

$$\begin{array}{r} 87 \\ +\ 35 \\ \hline \end{array}$$

$$\begin{array}{r} 14 \\ +\ 56 \\ \hline \end{array}$$

$$\begin{array}{r} 92 \\ +\ 44 \\ \hline \end{array}$$

$$\begin{array}{r} 46 \\ +\ 88 \\ \hline \end{array}$$

$$\begin{array}{r} 35 \\ +\ 17 \\ \hline \end{array}$$

$$\begin{array}{r} 41 \\ +\ 64 \\ \hline \end{array}$$

$$\begin{array}{r} 59 \\ +\ 94 \\ \hline \end{array}$$

$$\begin{array}{r} 49 \\ +\ 42 \\ \hline \end{array}$$

$$\begin{array}{r} 64 \\ +\ 63 \\ \hline \end{array}$$

$$\begin{array}{r} 63 \\ +\ 48 \\ \hline \end{array}$$

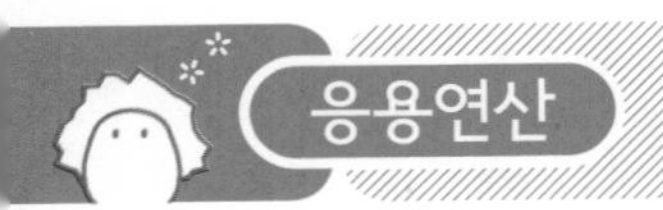


1 □ 안에 알맞은 수를 쓰세요.

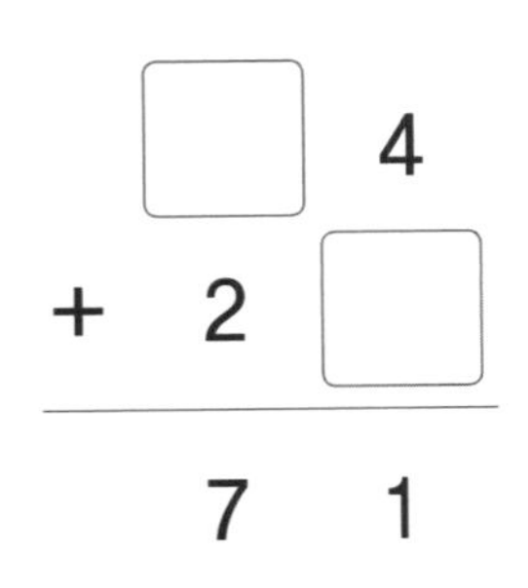


| | | |
|---|---|---|
| 3 □ | | |
| + □ 6 | | |
| 9 4 | | |

| | | |
|---|---|---|
| 6 5 | | |
| + □ 5 | | |
| 8 □ | | |

| | | |
|---|---|---|
| □ 8 | | |
| + 5 □ | | |
| □ 3 9 | | |

| | | |
|---|---|---|
| 9 □ | | |
| + □ 5 | | |
| □ 3 1 | | |

| | | |
|---|---|---|
| 3 4 | | |
| + □ 8 | | |
| □ 0 □ | | |

2 주어진 수를 한 번씩 사용하여 덧셈식을 완성하세요.

4 2 3

| | |
|---|---|
| 4 | 4 |
| + 3 | 8 |
| 8 | 2 |

5 3 6

$$
\begin{array}{r}
1\ \boxed{\phantom{0}} \\
+\ \boxed{\phantom{0}}\ 8 \\
\hline
8\ \boxed{\phantom{0}}
\end{array}
$$

| 9 | 3 | 6 |
|---|---|---|

$$
\begin{array}{r}
\boxed{\phantom{0}}\ 1 \\
+\ 2\ \boxed{\phantom{0}} \\
\hline
\boxed{\phantom{0}}\ 0
\end{array}
$$

| | |
|---|---|
| 1 | □ |
| + □ | 8 |
| 8 | □ |

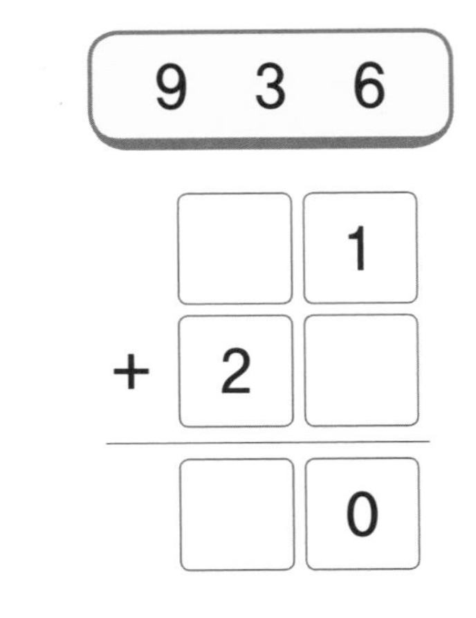

3 주어진 수를 한 번씩 사용하여 덧셈식을 완성하세요.

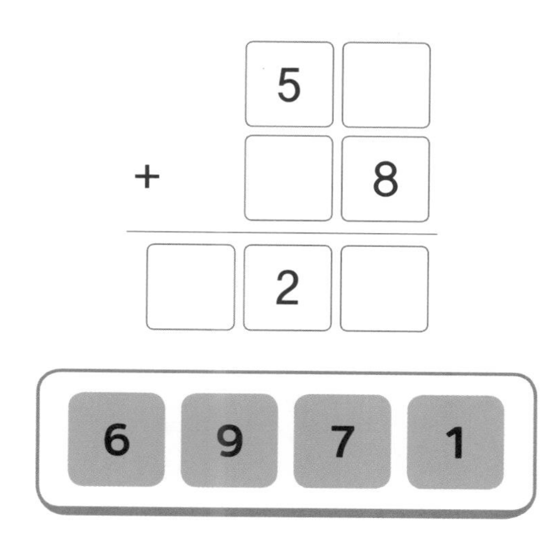


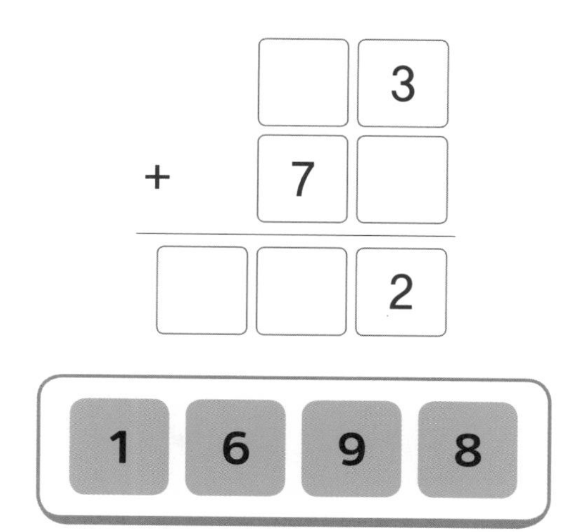


4 미호네 반 학급문고에는 동화책이 67권, 위인전이 48권 있습니다. 학급문고에 있는 동화책과 위인전은 모두 몇 권일까요?

식

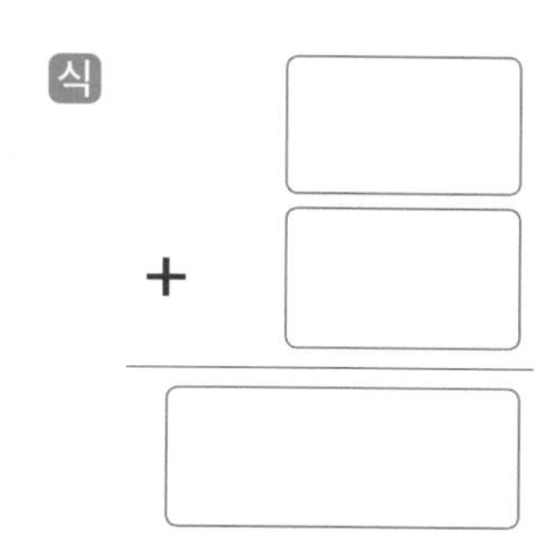

답  권

5 어린이가 동백 마을에는 59명, 백합 마을에는 45명 살고 있습니다. 두 마을에 살고 있는 어린이는 모두 몇 명일까요?

식

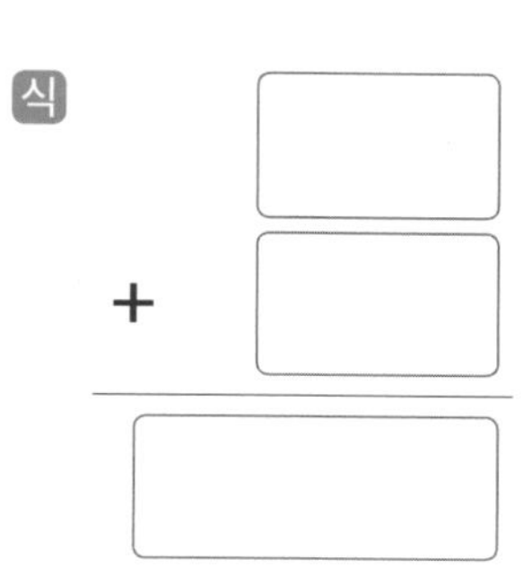

답  명

# 두 자리 수의 뺄셈

빼셈을 해 봅시다.

$81-67=$ [20] $-$ [6] $=$ [14]
(67 → −61, −6)

81에서 61을 뺀 후 6을 뺍니다.

$81-67=$ [11] $+$ [3] $=$ [14]
(67 → −70, +3)

67을 빼는 것은 70을 빼고 3을 더한 것과 같습니다.

$65-29=\square-\square=\square$ (29 → −25, −4)

$65-29=\square+\square=\square$ (29 → −30, +1)

$96-48=\square-\square=\square$ (48 → −46, −2)

$96-48=\square+\square=\square$ (48 → −50, +2)

$75-57=\square-\square=\square$ (57 → −55, −2)

$75-57=\square+\square=\square$ (57 → −60, +3)

$83-16=\square-\square=\square$ (16 → −13, −3)

$83-16=\square+\square=\square$ (16 → −20, +4)

$87-59=\square$

$-57 \quad -2$

$83-38=\square$

$-33 \quad -5$

$46-17=\square$

$-16 \quad -1$

$73-28=\square$

$-30 \quad +2$

$65-39=\square$

$-40 \quad +1$

$92-48=\square$

$-50 \quad +2$

$42-19$

$84-67$

$53-26$

$71-47$

$92-54$

$40-19$

$88-39$

$64-28$

$57-39$

$92-46$

$72-17$

$95-16$

1 뺄셈에 맞게 선을 이으세요.

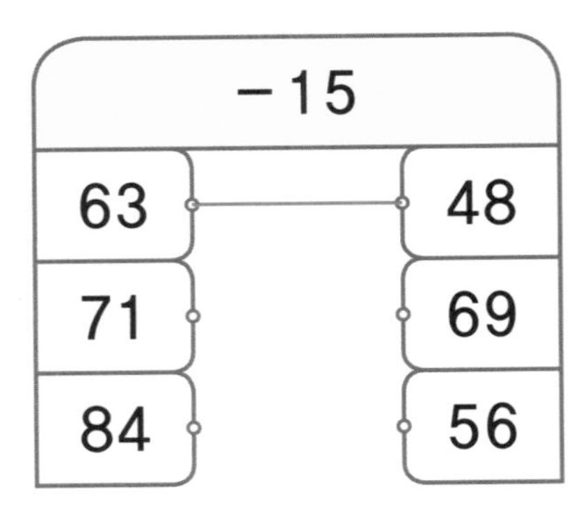


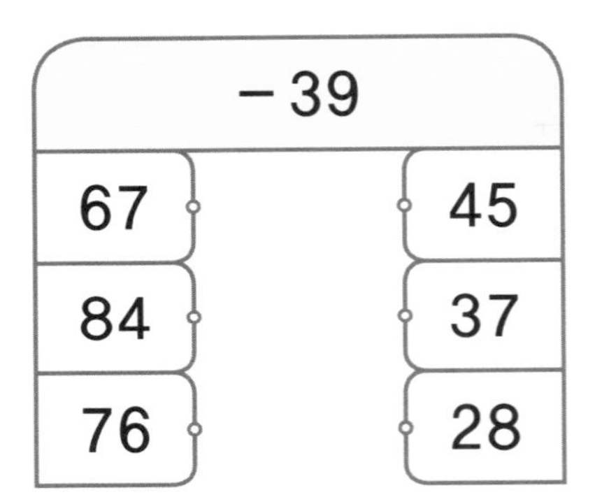


−18

| 42 | 17 |
|---|---|
| 45 | 24 |
| 35 | 27 |

−39

| 67 | 45 |
|---|---|
| 84 | 37 |
| 76 | 28 |

2 빈칸에 알맞은 수를 쓰세요.

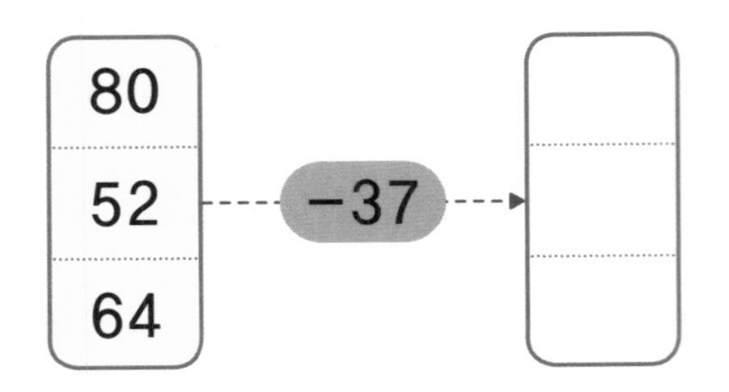


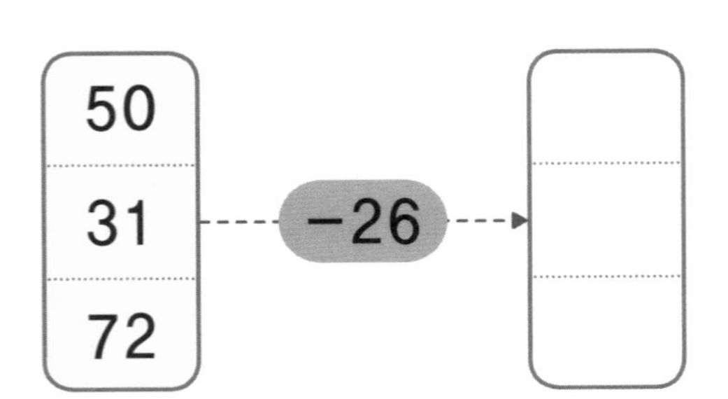

3 문구점에 있는 공의 수입니다. 관계있는 것끼리 선으로 잇고 □ 안에 알맞은 수를 쓰세요.

| 종류 | 축구공 | 농구공 | 야구공 |
| --- | --- | --- | --- |
| 공의 수 | 52 | 27 | 45 |

| | |
| --- | --- |
| 축구공은 농구공보다 몇 개 더 많을까요? | $45-27=$ □ |
| 야구공은 농구공보다 몇 개 더 많을까요? | $52-27=$ □ |
| 축구공은 야구공보다 몇 개 더 많을까요? | $52-45=$ □ |

4 여러 가지 방법으로 뺄셈을 하였습니다. □ 안에 알맞은 수를 쓰세요.

83에서 40을 먼저 빼고 그 결과에서 8을 뺐어.

$83-48=83-$ □ $-8$

$=$ □ $-8$

$=$ □

65를 25와 40으로 나누어 먼저 40에서 37을 뺀 계산 결과 3을 25에 더했어.

$65-37=25+$ □ $-37$

$=25+$ □

$=$ □

# 180 세로셈으로 뺄셈하기

개념원리

세로 방식으로 뺄셈을 해 봅시다.

$$\begin{array}{rrr} 1 & 7 & 3 \\ - & 4 & 6 \\ \hline \end{array} \Rightarrow \begin{array}{rrr} & 6 & 10 \\ 1 & \not{7} & 3 \\ - & 4 & 6 \\ \hline \end{array} \Rightarrow \begin{array}{rrr} & 6 & 10 \\ 1 & \not{7} & 3 \\ - & 4 & 6 \\ \hline & & 7 \end{array} \Rightarrow \begin{array}{rrr} & 6 & 10 \\ 1 & \not{7} & 3 \\ - & 4 & 6 \\ \hline 1 & 2 & 7 \end{array}$$

일의 자리 숫자끼리 뺄셈을 할 수 없으면 십의 자리에서 10을 받아내려서 계산합니다.

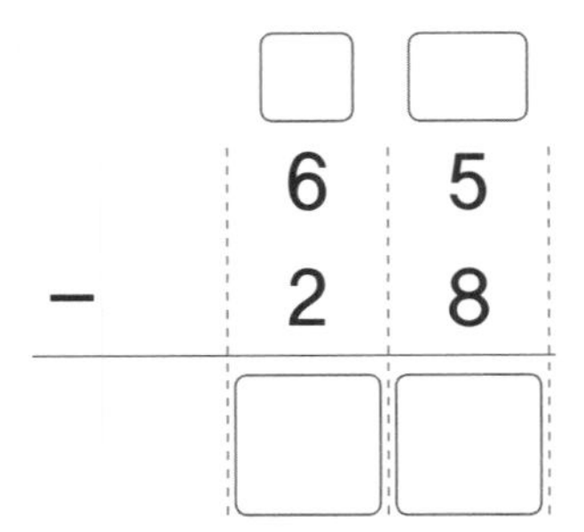

$$\begin{array}{rrr} & 6 & 5 \\ - & 2 & 8 \\ \hline & \square & \square \end{array}$$

$$\begin{array}{rrr} & 8 & 2 \\ - & 3 & 5 \\ \hline & \square & \square \end{array}$$

$$\begin{array}{rrr} & 7 & 0 \\ - & 1 & 6 \\ \hline & \square & \square \end{array}$$

$$\begin{array}{rrr} 1 & 4 & 2 \\ - & 2 & 3 \\ \hline \square & \square & \square \end{array}$$

$$\begin{array}{rrr} 1 & 3 & 4 \\ - & 2 & 9 \\ \hline \square & \square & \square \end{array}$$

$$\begin{array}{rrr} 1 & 5 & 1 \\ - & 2 & 5 \\ \hline \square & \square & \square \end{array}$$

$$\begin{array}{rrr} 1 & 5 & 4 \\ - & 6 & 8 \\ \hline & \square & \square \end{array}$$

$$\begin{array}{rrr} 1 & 3 & 6 \\ - & 3 & 7 \\ \hline & \square & \square \end{array}$$

$$\begin{array}{rrr} 1 & 1 & 3 \\ - & 8 & 5 \\ \hline & \square & \square \end{array}$$

$$\begin{array}{r} 71 \\ -\ 37 \\ \hline \end{array}$$

$$\begin{array}{r} 60 \\ -\ 29 \\ \hline \end{array}$$

$$\begin{array}{r} 73 \\ -\ 45 \\ \hline \end{array}$$

$$\begin{array}{r} 66 \\ -\ 18 \\ \hline \end{array}$$

$$\begin{array}{r} 92 \\ -\ 77 \\ \hline \end{array}$$

$$\begin{array}{r} 85 \\ -\ 26 \\ \hline \end{array}$$

$$\begin{array}{r} 178 \\ -\ 82 \\ \hline \end{array}$$

$$\begin{array}{r} 139 \\ -\ 78 \\ \hline \end{array}$$

$$\begin{array}{r} 147 \\ -\ 95 \\ \hline \end{array}$$

$$\begin{array}{r} 142 \\ -\ 58 \\ \hline \end{array}$$

$$\begin{array}{r} 152 \\ -\ 94 \\ \hline \end{array}$$

$$\begin{array}{r} 161 \\ -\ 88 \\ \hline \end{array}$$

$$\begin{array}{r} 113 \\ -\ 76 \\ \hline \end{array}$$

$$\begin{array}{r} 124 \\ -\ 59 \\ \hline \end{array}$$

$$\begin{array}{r} 146 \\ -\ 67 \\ \hline \end{array}$$

1 □ 안에 알맞은 수를 쓰세요.

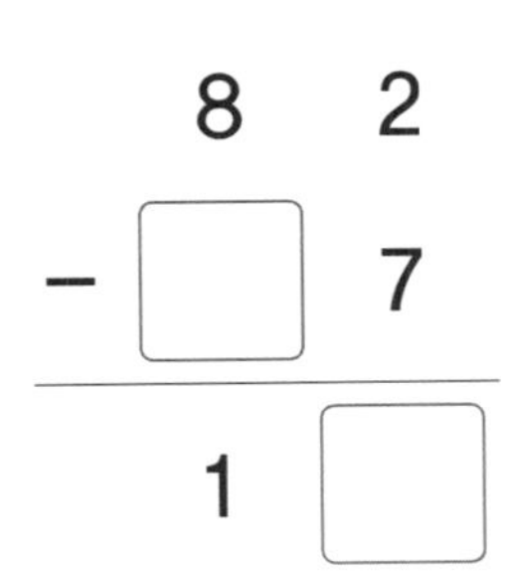


□ 3
− 1 □
4 5

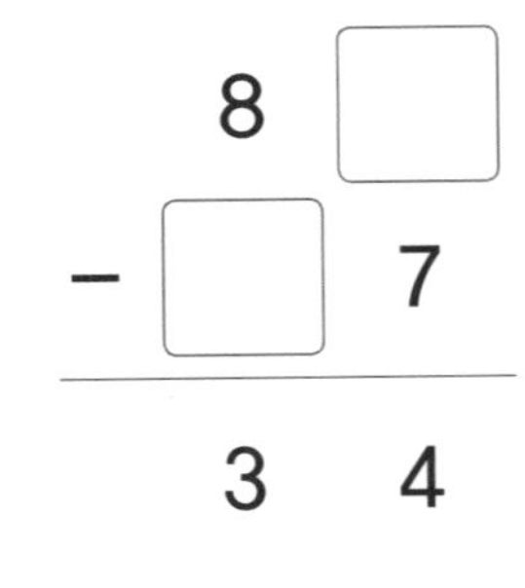


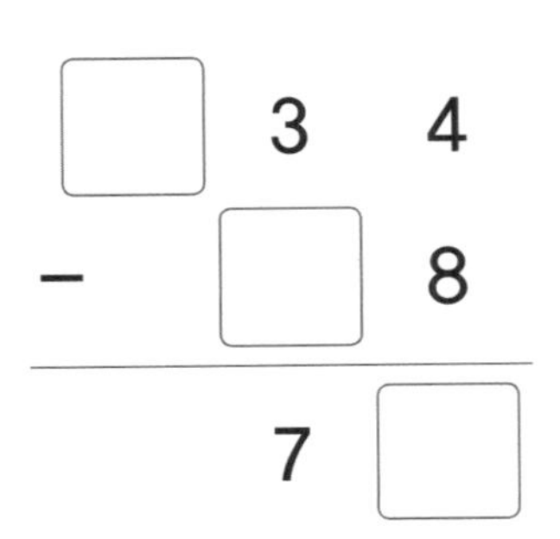


□ 2 □
− □ 8
7 3

□ □ 4
− 6 □
6 9

2 주어진 수를 한 번씩 사용하여 뺄셈식을 완성하세요.

[4 7 8]

7 3
− 2 8
4 5

[5 6 8]

9 □
− □ 7
2 □

[1 3 7]

5 □
− □ 9
□ 8

3 주어진 수를 한 번씩 사용하여 뺄셈식을 완성하세요.

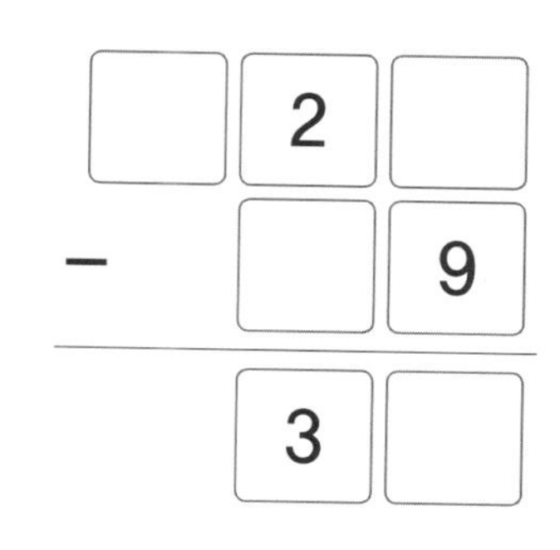
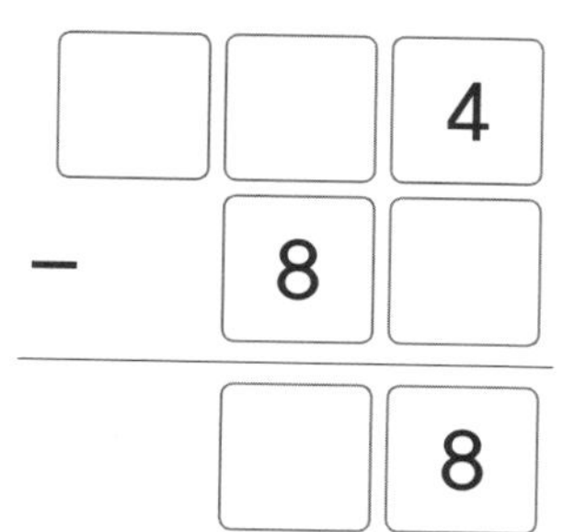

4 공원에 비둘기 81마리가 있었습니다. 잠시 후에 27마리가 날아 갔습니다. 공원에 남아 있는 비둘기는 몇 마리일까요?

식

답  마리

5 영호네 학교 학생은 158명입니다. 그중에서 남학생은 79명입니다. 여학생은 몇 명일까요?

식 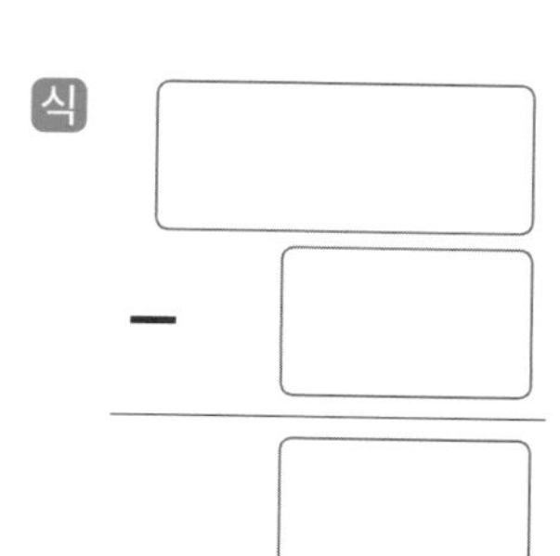

답  명

# 형성평가

1 덧셈에 맞게 선을 이으세요.

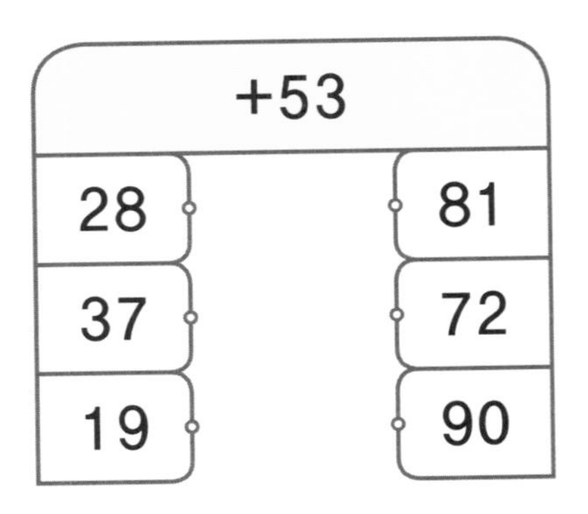


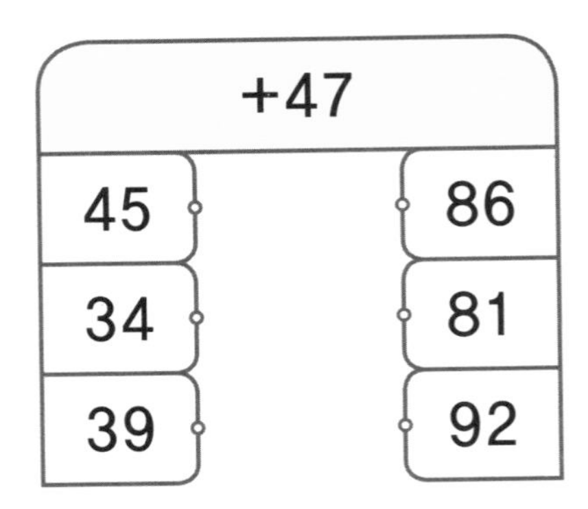


2 □ 안에 알맞은 수를 쓰세요.

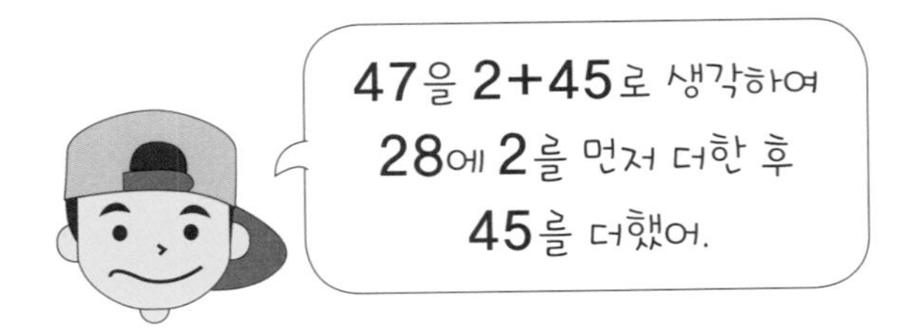

47을 2+45로 생각하여
28에 2를 먼저 더한 후
45를 더했어.


$28+47=28+\square+45$

$=\square+45$

$=\square$

3 주어진 수를 한 번씩 사용하여 덧셈식을 완성하세요.

| | 4 | □ |
|---|---|---|
| + | □ | 9 |
| □ | □ | 6 |

4 재영이네 과일 가게에서 어제는 사과가 68개 팔렸고, 오늘은 귤이 57개 팔렸습니다. 어제, 오늘 팔린 과일은 모두 몇 개일까요?

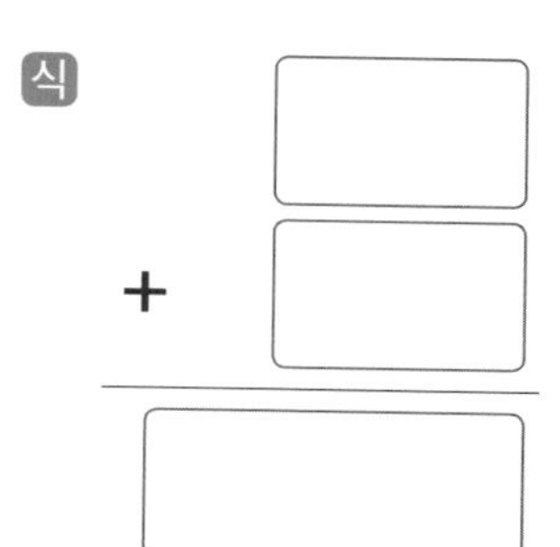


답 [ ] 개

5 빈칸에 알맞은 수를 쓰세요.

| | | |
|---|---|---|
| 76 | | |
| 62 | −37 → | |
| 84 | | |

| | | |
|---|---|---|
| 65 | | |
| 46 | −18 → | |
| 54 | | |

6 □ 안에 알맞은 수를 쓰세요.

72에서 50을 먼저 빼고
그 결과에서 6을 뺐어.


$72-56=72-\square-6$

$=\square-6$

$=\square$

7 □ 안에 알맞은 수를 쓰세요.

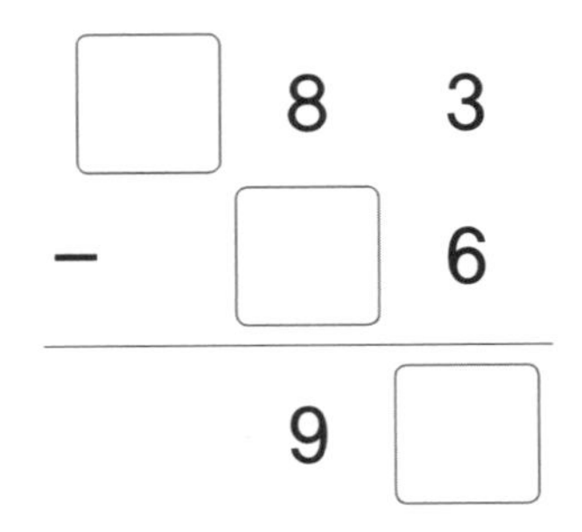


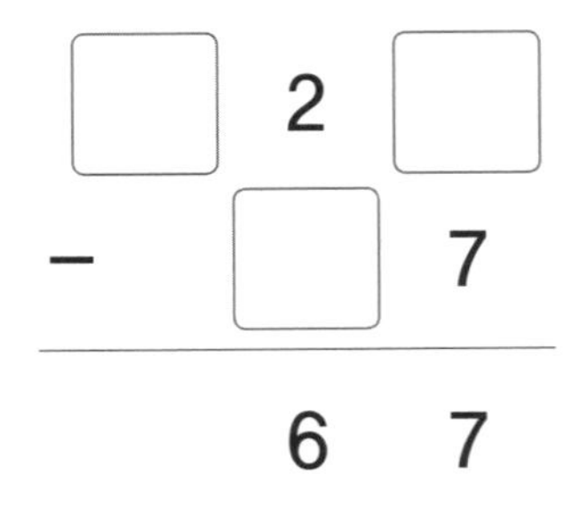


8 주어진 수를 한 번씩 사용하여 뺄셈식을 완성하세요.

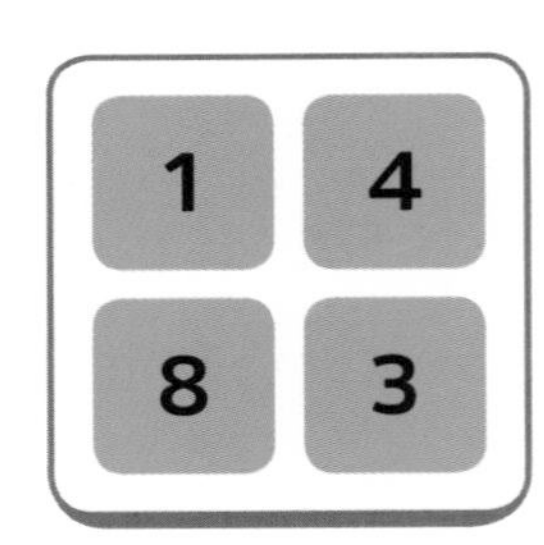


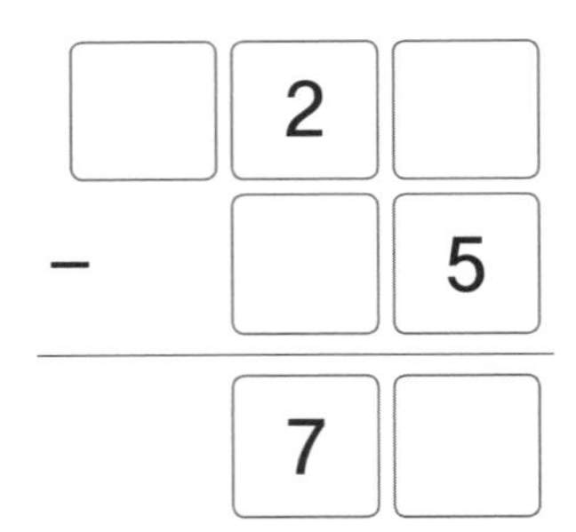


9 도서관에 동화책과 위인전이 모두 164권 있습니다. 동화책이 89권 있다면 위인전은 몇 권 있을까요?

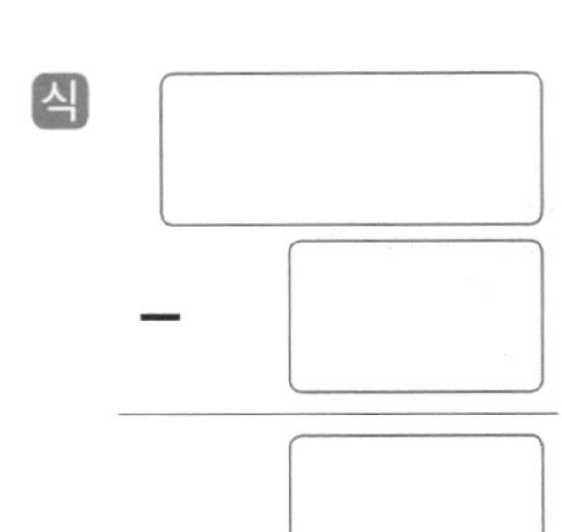


답 □ 권

# 덧셈과 뺄셈의 관계

덧셈과 뺄셈의 관계, 두 수의 합과 차의 활용

# 덧셈과 뺄셈

그림을 보고 덧셈과 뺄셈을 해 봅시다.

| 43 | 28 |
| --- | --- |
| 71 | |

두 수의 합에서 한 수를 빼면 나머지 한 수가 됩니다.

●+■=◆ → ◆−●=■
→ ◆−■=●

$43+28=$ 71

$28+43=$ 71

$71-43=$ 28

$71-28=$ 43

| 37 | 17 |
| --- | --- |
| 54 | |

$37+17=$ ☐

$17+37=$ ☐

$54-37=$ ☐

$54-17=$ ☐

| 95 | 58 |
| --- | --- |
| 153 | |

$95+58=$ ☐

$58+95=$ ☐

$153-95=$ ☐

$153-58=$ ☐

$57+25$ $87-38$ $66+46$

$93-75$ $36+88$ $72-57$

$38+91$ $124-74$ $85+74$

$132-78$ $95+85$ $155-97$

$$\begin{array}{r} 68 \\ +\ 35 \\ \hline \end{array} \quad \begin{array}{r} 57 \\ -\ 18 \\ \hline \end{array} \quad \begin{array}{r} 29 \\ +\ 62 \\ \hline \end{array}$$

$$\begin{array}{r} 92 \\ +\ 28 \\ \hline \end{array} \quad \begin{array}{r} 135 \\ -\ 88 \\ \hline \end{array} \quad \begin{array}{r} 58 \\ +\ 64 \\ \hline \end{array}$$

1 가로 방향으로 덧셈, 세로 방향으로 뺄셈을 하여 빈칸에 쓰세요.

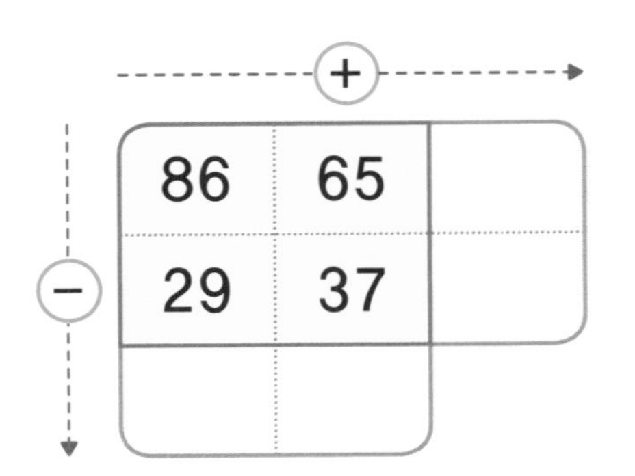


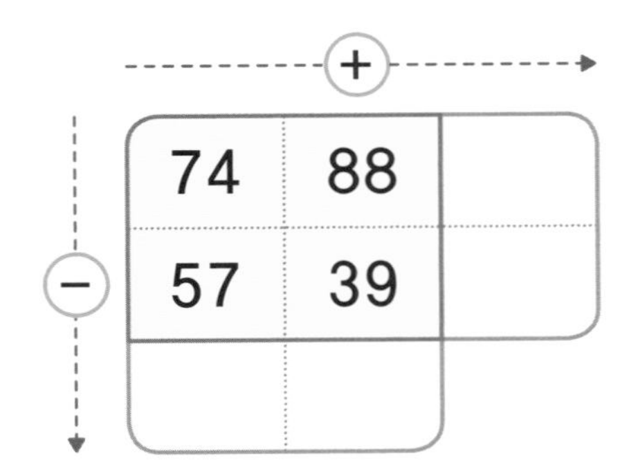


2 이웃한 세 수를 묶은 다음, 가로 또는 세로 방향으로 + 또는 −와 =를 넣어 덧셈식과 뺄셈식 3개를 만드세요.

| 38 + | 67 = | 105 | 46 |
|---|---|---|---|
| 112 | 34 | 68 | 94 − |
| 48 + | 52 = | 100 | 37 = |
| 63 | 35 | 88 | 57 |

| 76 | 27 | 113 | 68 |
|---|---|---|---|
| 26 | 94 | 47 | 47 |
| 102 | 131 | 76 | 65 |
| 83 | 42 | 39 | 81 |

| 78 | 11 | 96 | 134 |
|---|---|---|---|
| 64 | 47 | 39 | 16 |
| 142 | 75 | 57 | 122 |
| 98 | 63 | 29 | 92 |

| 154 | 76 | 78 | 86 |
|---|---|---|---|
| 89 | 69 | 115 | 75 |
| 55 | 63 | 28 | 17 |
| 74 | 132 | 97 | 58 |

3 주어진 수를 이용하여 덧셈식 2개와 뺄셈식 2개를 만드세요.

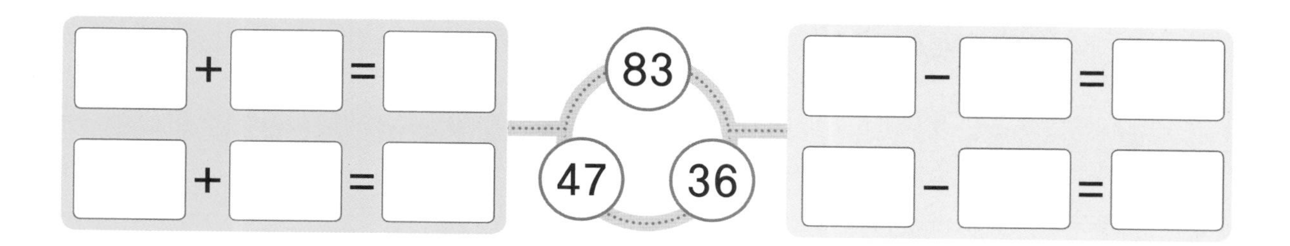


4 민호, 지영, 슬기의 대화를 보고 물음에 맞는 식과 답을 쓰세요.

민호: 나는 구슬을 47개 가지고 있어.
지영: 나는 민호가 가진 것보다 18개 더 적어.
슬기: 나는 지영이가 가진 것보다 27개 더 많아.

지영이가 가지고 있는 구슬은 몇 개일까요?

식 ________________ 답 ________ 개

슬기가 가지고 있는 구슬은 몇 개일까요?

식 ________________ 답 ________ 개

지영이와 슬기가 가지고 있는 구슬은 모두 몇 개일까요?

식 ________________ 답 ________ 개

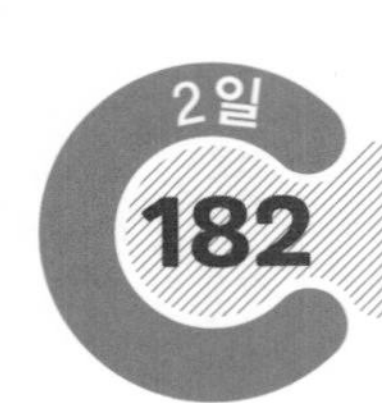


# 합이 되는 두 수

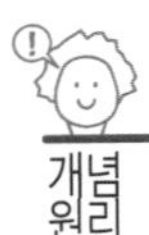

개념원리

상자 속 공 2개의 수를 뽑아 덧셈식을 완성하여 봅시다.

38 47 64 57

[47] + [64] = 111

[38] + [57] = 95

62 39 48 74

[ ] + [ ] = 101

[ ] + [ ] = 122

26 83 36 64

[ ] + [ ] = 119

[ ] + [ ] = 90

93 16 57 65

[ ] + [ ] = 150

[ ] + [ ] = 81

43 56 78 29

[ ] + [ ] = 121

[ ] + [ ] = 85

55 47 68 39

39 + 47 = 86

39 + 68 = 107

☐ + ☐ = 123

☐ + ☐ = 102

26 95 74 19

☐ + ☐ = 114

☐ + ☐ = 93

☐ + ☐ = 100

☐ + ☐ = 121

87 25 49 56

☐ + ☐ = 81

☐ + ☐ = 112

☐ + ☐ = 105

☐ + ☐ = 136

69 42 58 74

☐ + ☐ = 100

☐ + ☐ = 111

☐ + ☐ = 127

☐ + ☐ = 132

1 합에 맞게 두 수를 선으로 이으세요.

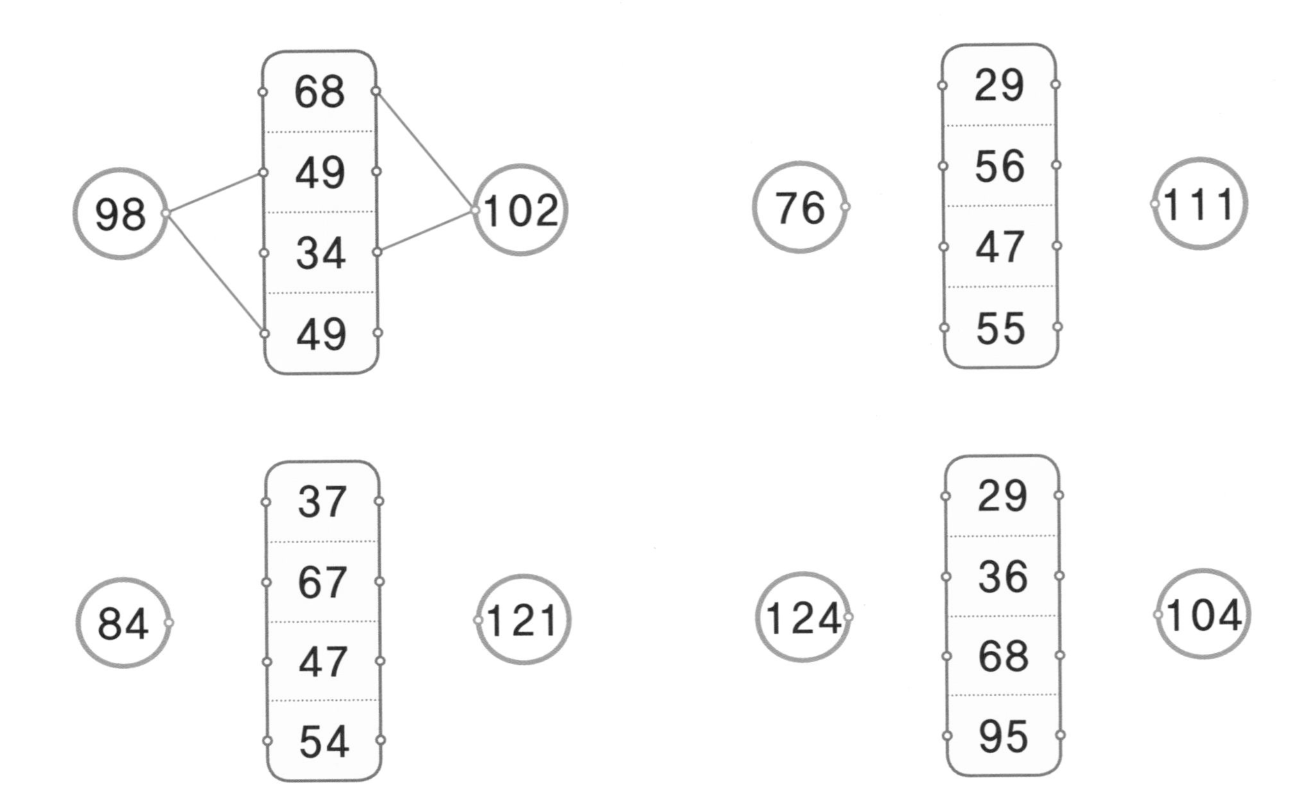


2 가로, 세로로 두 수의 합에 맞게 상자 안의 수를 빈칸에 쓰세요.

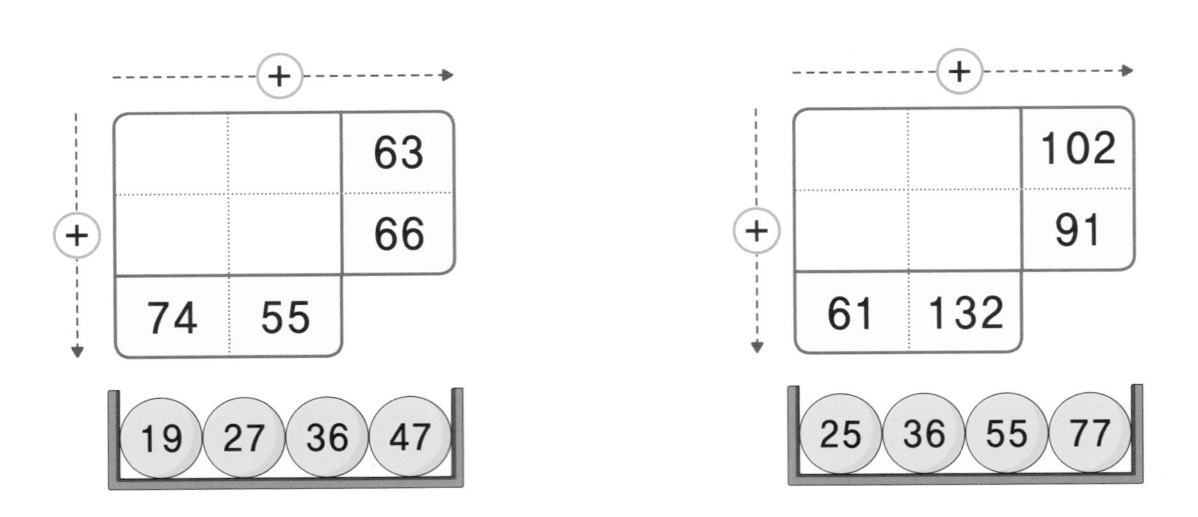

3 선아, 희수, 진호, 재영이가 가지고 있는 카드의 수입니다.

| 이름 | 선아 | 희수 | 진호 | 재영 |
|---|---|---|---|---|
| 카드의 수(장) | 34 | 57 | 66 | 89 |

두 사람이 가진 카드를 모았더니 100장입니다. 누구와 누구의 카드를 모은 것일까요?

식 ______ + ______ = 100 답 ______ 와 ______

4 풍선 터뜨리기 놀이를 하려고 합니다. 터뜨린 풍선 2개에 적힌 수의 합에 따라 받을 수 있는 상품이 다릅니다.

두 수의 합이 130보다 크면 동화책을 받습니다. 동화책을 받기 위해 터뜨려야 할 풍선에 쓰인 수를 쓰세요.

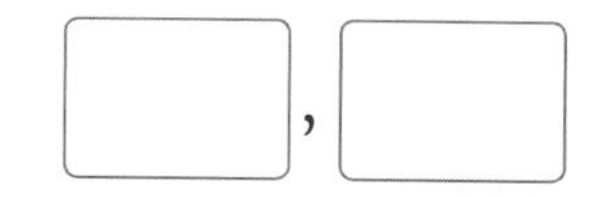

두 수의 합이 100보다 크고 110보다 작으면 인형을 받습니다. 인형을 받는 경우는 모두 몇 가지일까요?

☐ 가지

# 차가 되는 두 수

상자 속 공 2개의 수를 뽑아 뺄셈식을 완성하여 봅시다.

121 94 34 72

121 − 94 = 27

72 − 34 = 38

84 102 65 48

□ − □ = 54

□ − □ = 19

91 26 83 19

□ − □ = 72

□ − □ = 57

115 36 88 29

□ − □ = 79

□ − □ = 59

52 123 64 25

□ − □ = 71

□ − □ = 39

| 84 | 17 | 73 | 24 |
|---|---|---|---|

84 − 17 = 67

84 − 24 = 60

☐ − ☐ = 56

☐ − ☐ = 49

| 103 | 28 | 46 | 74 |
|---|---|---|---|

☐ − ☐ = 75

☐ − ☐ = 57

☐ − ☐ = 46

☐ − ☐ = 28

| 85 | 115 | 47 | 18 |
|---|---|---|---|

☐ − ☐ = 68

☐ − ☐ = 97

☐ − ☐ = 67

☐ − ☐ = 38

| 29 | 96 | 35 | 124 |
|---|---|---|---|

☐ − ☐ = 89

☐ − ☐ = 95

☐ − ☐ = 67

☐ − ☐ = 61

1 ● 안의 수가 차가 되는 두 수를 찾아 색칠하고 뺄셈식을 완성하세요.

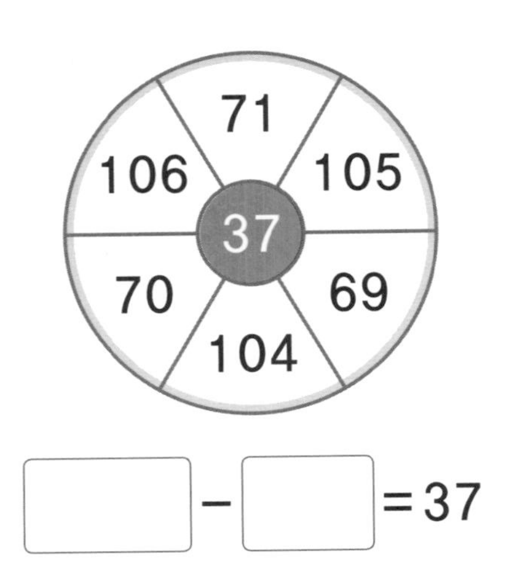


$\square - \square = 37$

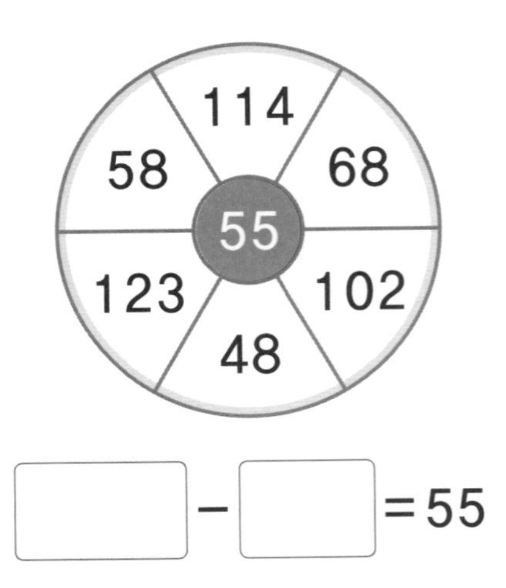


$\square - \square = 55$

2 상자 안의 두 수를 뽑아 차를 구할 때 차가 되는 수에 모두 ◯표 하세요.

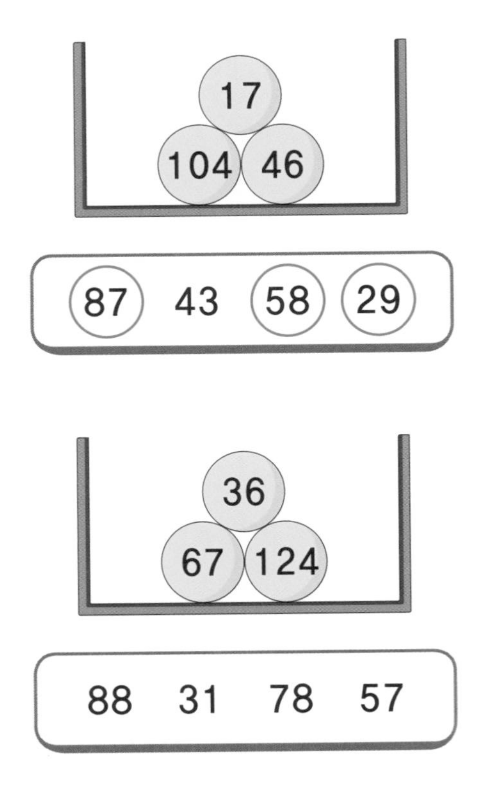


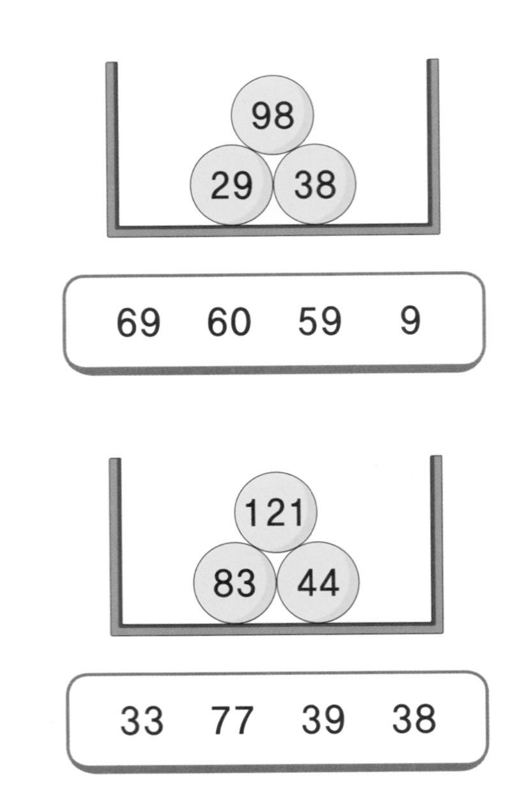

3 □ 안에 같은 수가 들어갑니다. 알맞은 수를 쓰세요.

[66] − 27 = 105 − [66]　　　　[ ] − 14 = 42 − [ ]

41 − [ ] = [ ] − 19　　　　35 − [ ] = [ ] − 17

4 진호와 민주가 수가 적힌 풍선을 2개씩 터뜨렸습니다. 물음에 답하세요.

진호가 터뜨린 풍선에 적힌 두 수의 차는 27입니다. 진호가 터뜨린 풍선에 ○표 하세요.

( 75 , 57 , 84 , 49 )

민주가 터뜨린 풍선에 적힌 두 수의 차는 얼마일까요? [ ]

# 합과 차

두 수의 합과 차를 구하고, 구한 합과 차의 차를 구해 봅시다.

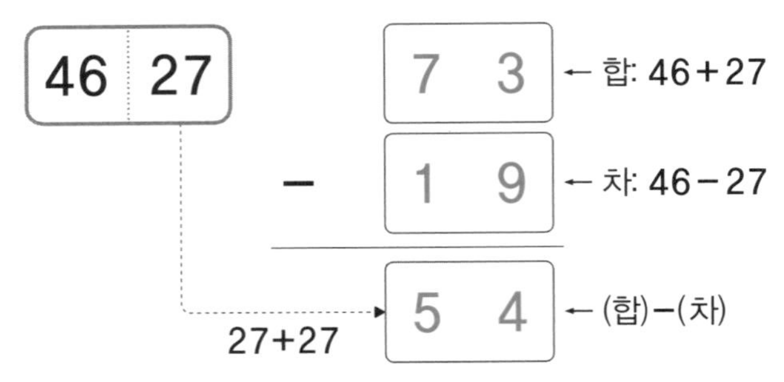


두 수의 합에서 두 수의 차를 빼면 작은 수를 두 번 더한 값이 됩니다.

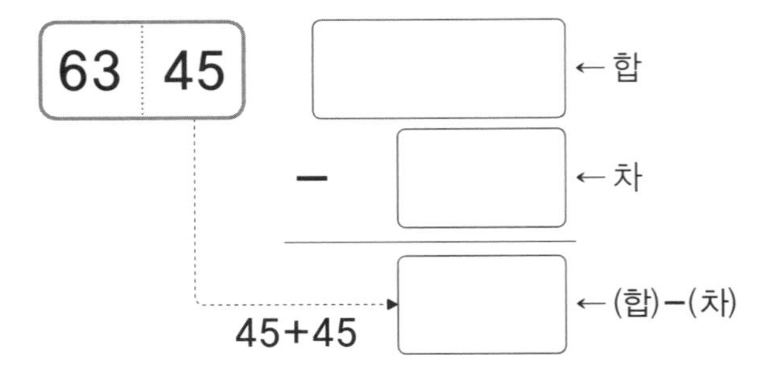


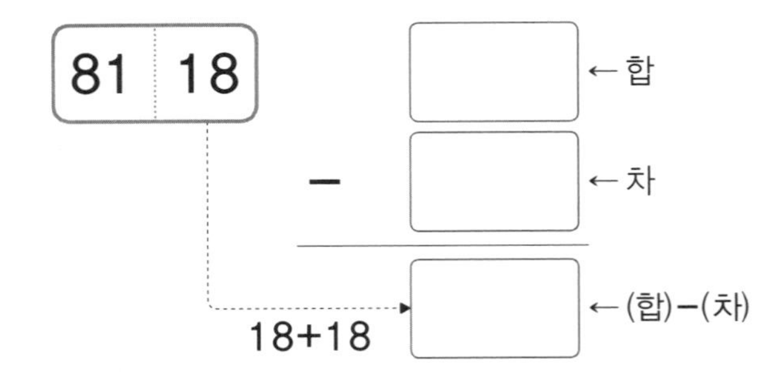


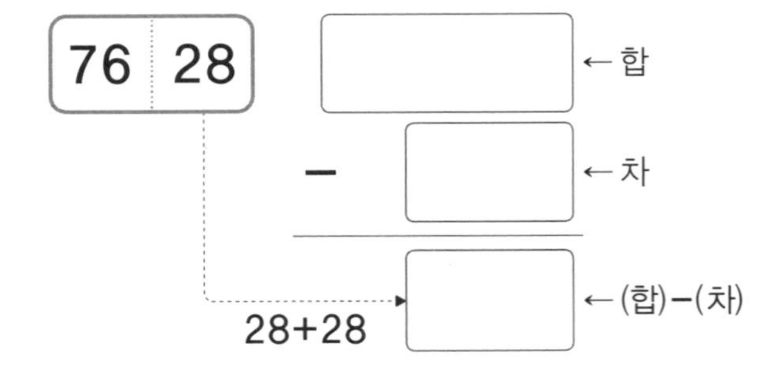


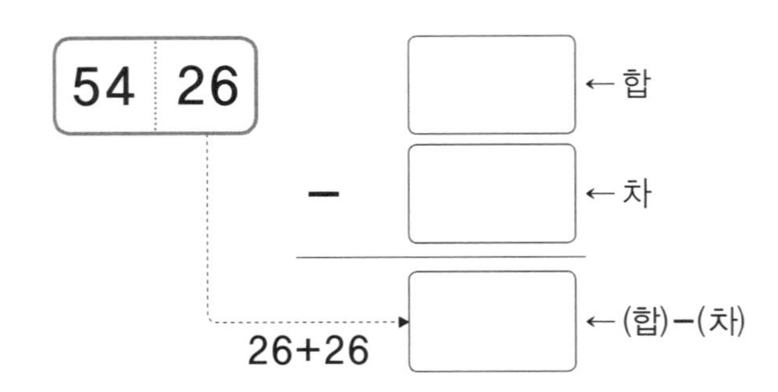


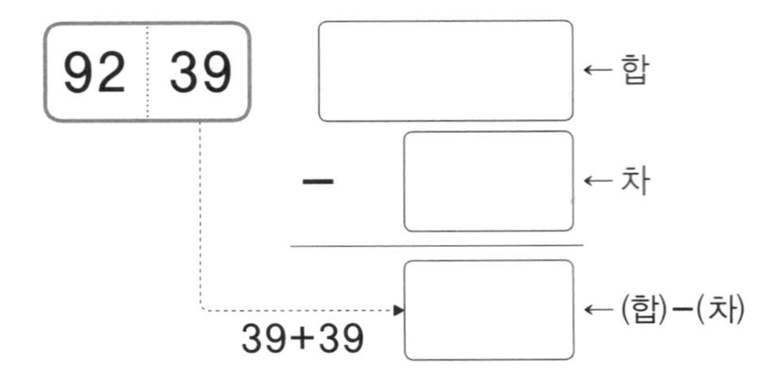


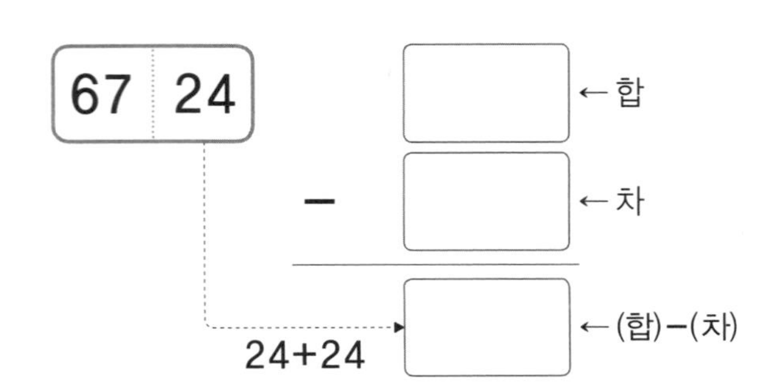

| 합 | 74 | (29) | 54 |
| --- | --- | --- | --- |
| 차 | 16 | 36 | (45) |

| 합 | 92 | 22 | 58 |
| --- | --- | --- | --- |
| 차 | 24 | 34 | 67 |

| 합 | 64 | 49 | 41 |
| --- | --- | --- | --- |
| 차 | 18 | 33 | 23 |

| 합 | 76 | 37 | 36 |
| --- | --- | --- | --- |
| 차 | 2 | 39 | 35 |

| 합 | 102 | 85 | 75 |
| --- | --- | --- | --- |
| 차 | 68 | 27 | 17 |

| 합 | 95 | 29 | 57 |
| --- | --- | --- | --- |
| 차 | 19 | 38 | 30 |

| 합 | 88 | 29 | 69 |
| --- | --- | --- | --- |
| 차 | 50 | 19 | 59 |

| 합 | 81 | 74 | 63 |
| --- | --- | --- | --- |
| 차 | 45 | 28 | 18 |

| 합 | 84 | 57 | 67 |
| --- | --- | --- | --- |
| 차 | 30 | 37 | 27 |

1 합과 차를 알 때 두 수를 구하는 과정입니다. □ 안에 알맞은 수를 쓰세요.

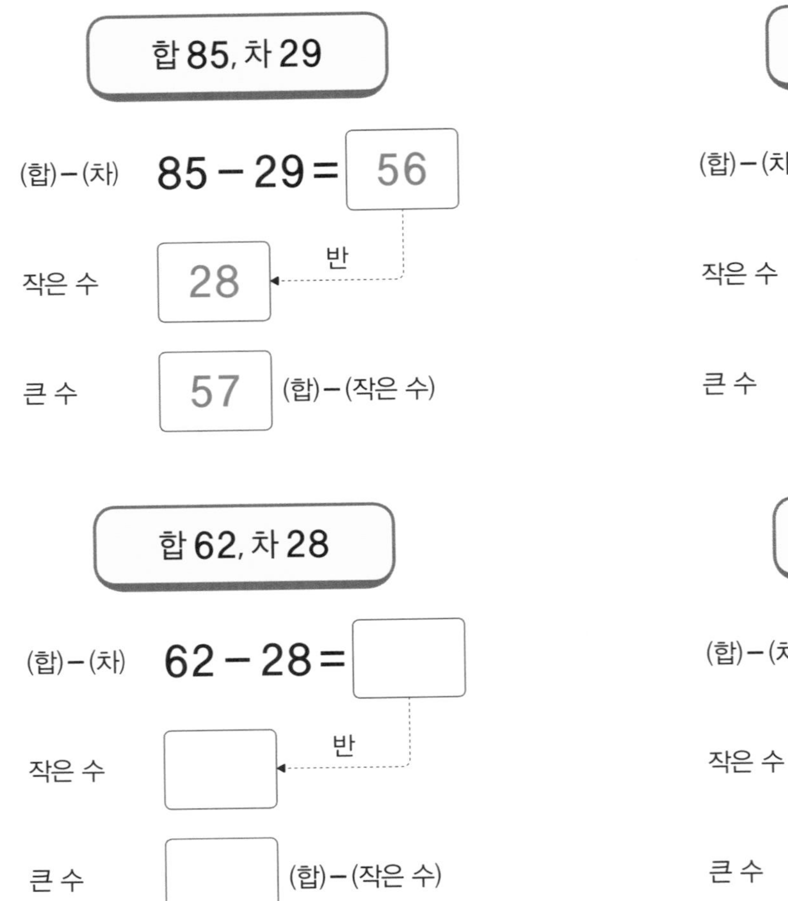


합 53, 차 15

(합)−(차) 53−15=□

작은 수 □ 반

큰 수 □ (합)−(작은 수)

합 81, 차 39

(합)−(차) 81−39=□

작은 수 □ 반

큰 수 □ (합)−(작은 수)

2 같은 모양에는 같은 수가 들어갑니다. 빈 곳에 알맞은 수를 쓰세요.

○+□=54
○−□=18

☆+♡=73
☆−♡=15

3 같은 모양은 같은 수, 다른 모양은 다른 수를 나타냅니다. ♣과 ♠은 각각 얼마일까요?

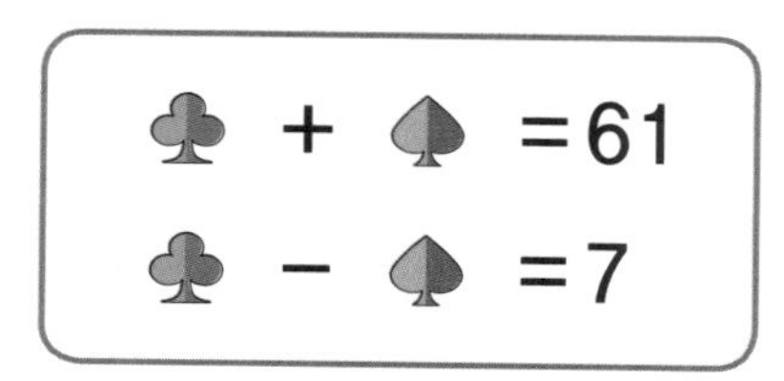


♣ =

♠ =

4 기우 아버지와 어머니의 나이 합은 83이고, 나이 차는 7입니다. 아버지가 어머니보다 나이가 많다고 할 때 아버지의 나이는 몇 세일까요?

세

5 과일 가게에서 참외와 수박을 모두 91개 팔았는데, 참외를 수박보다 19개 더 팔았습니다. 물음에 답하세요.

판 참외와 수박 개수의 합과 차는 각각 얼마일까요?

합: , 차:

합과 차에 맞게 두 수를 구하세요.

두 수: ,

참외와 수박은 각각 몇 개 팔았을까요?

참외: 개, 수박: 개

# 형성평가

1 가로 방향으로 덧셈, 세로 방향으로 뺄셈을 하여 빈칸에 쓰세요.

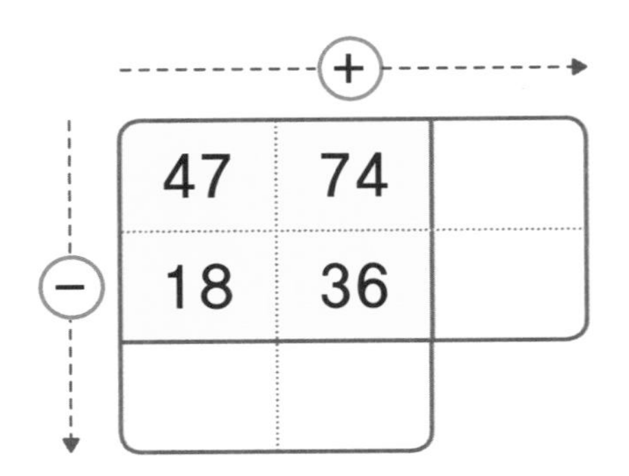


| 68 | 55 | |
|---|---|---|
| 29 | 37 | |
| | | |

2 이웃한 세 수를 묶은 다음, 가로 또는 세로 방향으로 + 또는 −와 =를 넣어 덧셈식과 뺄셈식 3개를 만드세요.

| 48 | 44 | 92 | 107 |
|---|---|---|---|
| 67 | 56 | 79 | 39 |
| 35 | 18 | 26 | 68 |
| 92 | 38 | 115 | 46 |

3 합에 맞게 두 수를 선으로 이으세요.

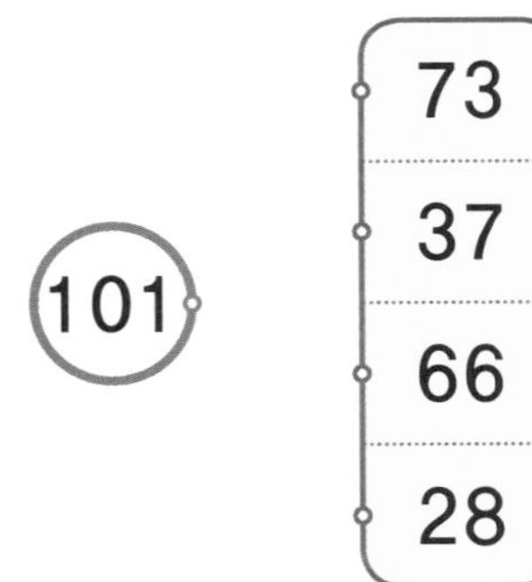


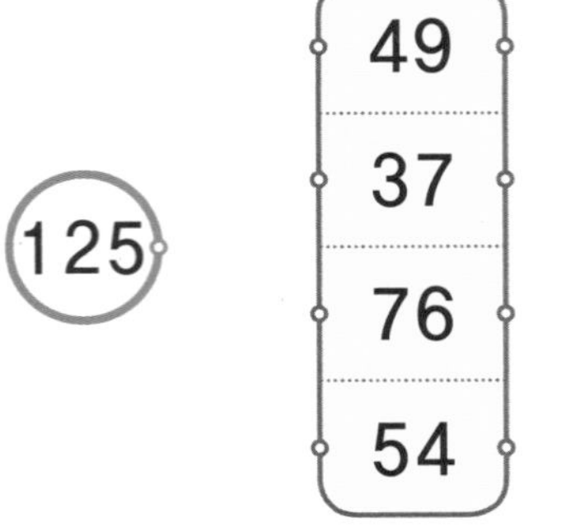

4 민우, 혜영, 지수, 은지가 가지고 있는 사탕의 수입니다.

| 이름 | 민우 | 혜영 | 지수 | 은지 |
| --- | --- | --- | --- | --- |
| 사탕의 수(개) | 65 | 37 | 84 | 46 |

두 사람이 가진 사탕을 모았더니 111개입니다. 누구와 누구의 사탕을 모은 것일까요?

식 ______ + ______ = 111 답 ______ 와 ______

5 상자 안의 두 수를 뽑아 차를 구할 때 차가 되는 수에 모두 ○표 하세요.

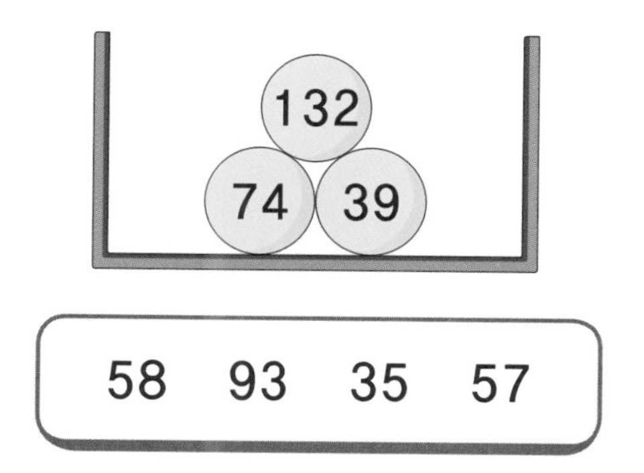


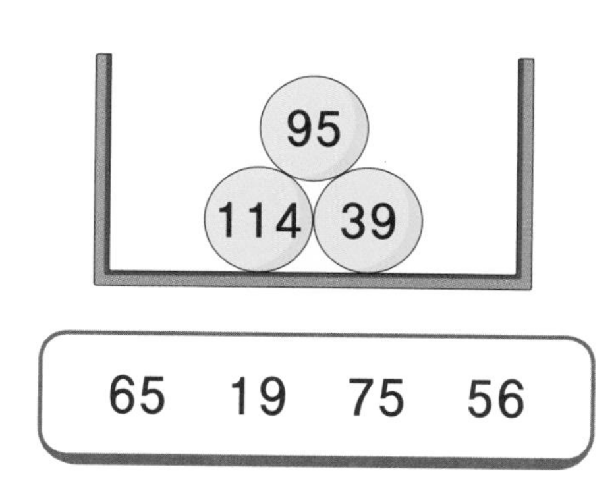


6 □ 안에 같은 수가 들어갑니다. 알맞은 수를 쓰세요.

72 − □ = □ − 18

7 영우와 예은이가 수가 적힌 풍선을 2개씩 터뜨립니다. 물음에 답하세요.

영우가 터뜨린 풍선에 적힌 두 수의 차는 64입니다. 영우가 터뜨린 풍선에 ○표 하세요.

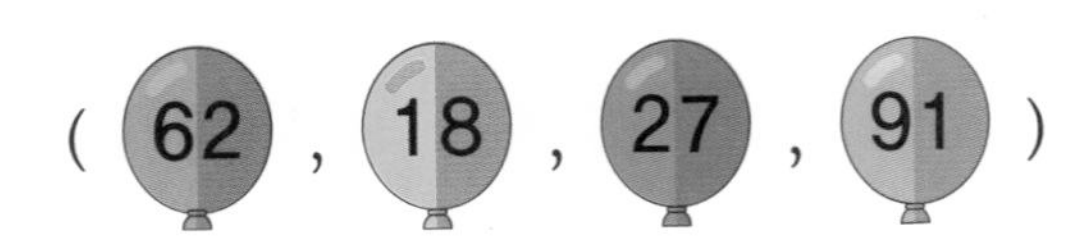


예은이가 터뜨린 풍선에 적힌 두 수의 차는 얼마일까요? □

8 합과 차를 알 때 두 수를 구하는 과정입니다. □ 안에 알맞은 수를 쓰세요.

합 84, 차 26

(합)−(차) $84-26=\square$

작은 수 □ ← 반

큰 수 □ (합)−(작은 수)

3주차

# □가 있는 덧셈과 뺄셈

□가 있는 두 자리 수끼리의 덧셈과 뺄셈

1일

# 185 □가 있는 덧셈

덧셈식의 □를 뺄셈식으로 구해 봅시다.

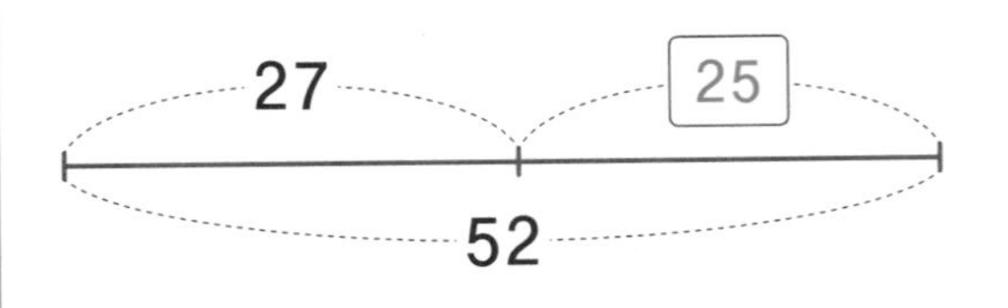


27 + 25 = 52

52 − 27 = 25

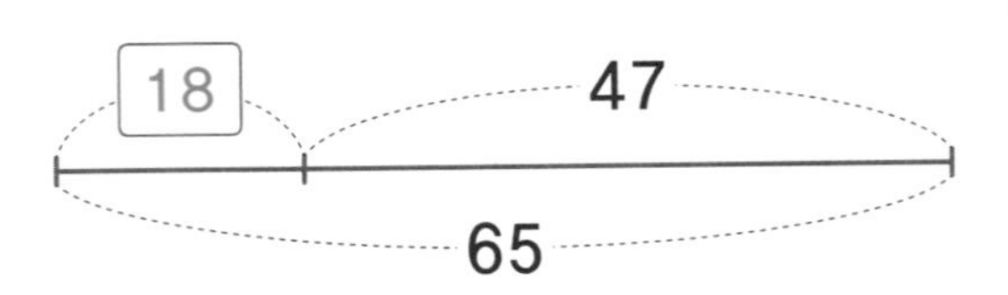


18 + 47 = 65

65 − 47 = 18

□가 있는 덧셈식에서 □의 값을 뺄셈식을 이용하여 구할 수 있습니다.

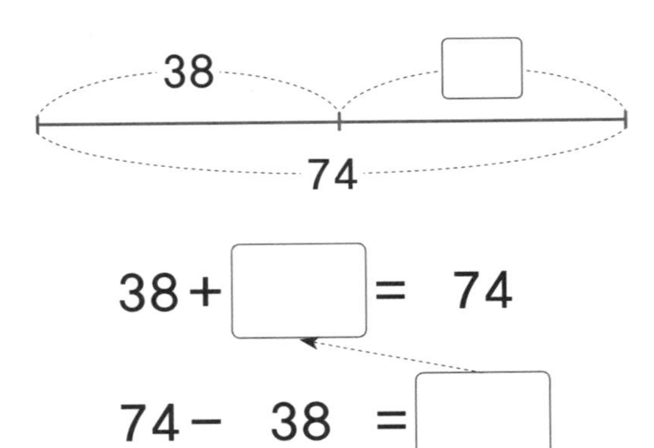


38 + □ = 74

74 − 38 = □

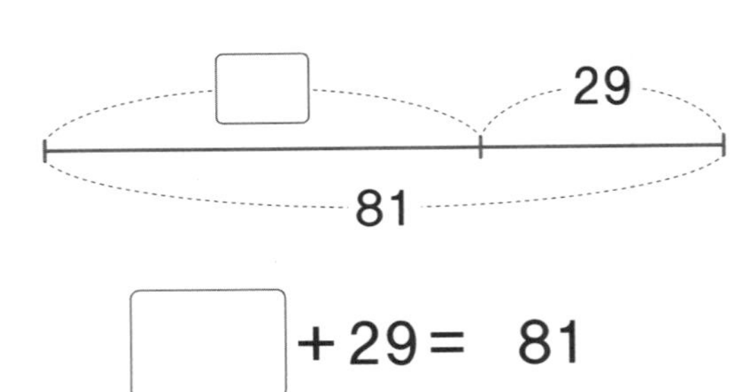


□ + 29 = 81

81 − 29 = □

16 □

60

16 + □ = 60

60 − 16 = □

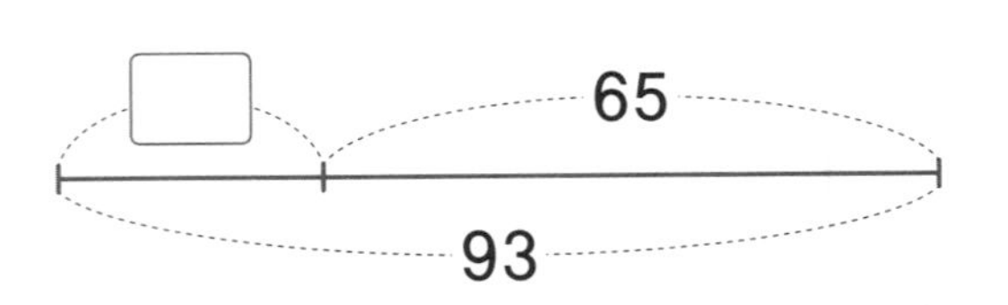


□ + 65 = 93

93 − 65 = □

$47 + \square = 82$

$82 - 47 = \square$

$\square + 28 = 77$

$77 - 28 = \square$

$39 + \square = 97$

$97 - 39 = \square$

$\square + 57 = 84$

$84 - 57 = \square$

$25 + \square = 63$

$76 + \square = 93$

$\square + 57 = 90$

$\square + 46 = 75$

$87 + \square = 102$

$87 + \square = 123$

$\square + 29 = 88$

$\square + 29 = 114$

1 계산 결과에 맞게 길을 그리세요.

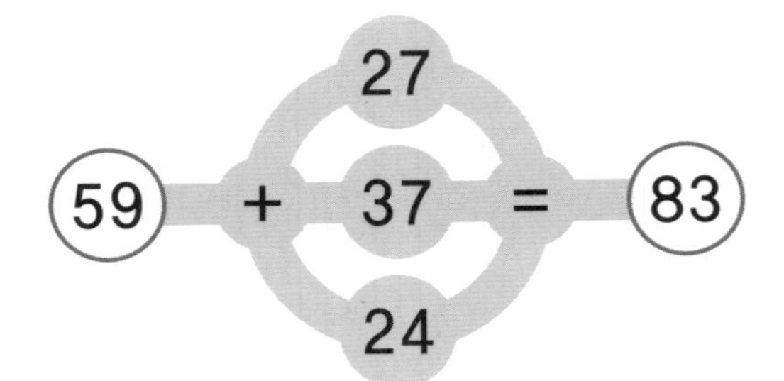


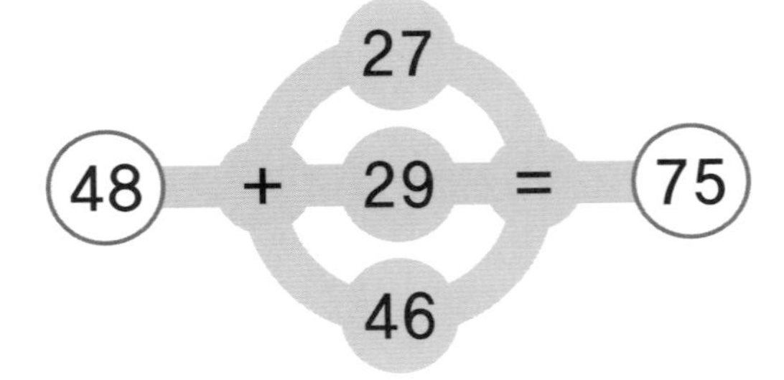


29
38 + 18 = 67
49

48
55 + 27 = 92
37

2 빈칸에 알맞은 수를 쓰세요.

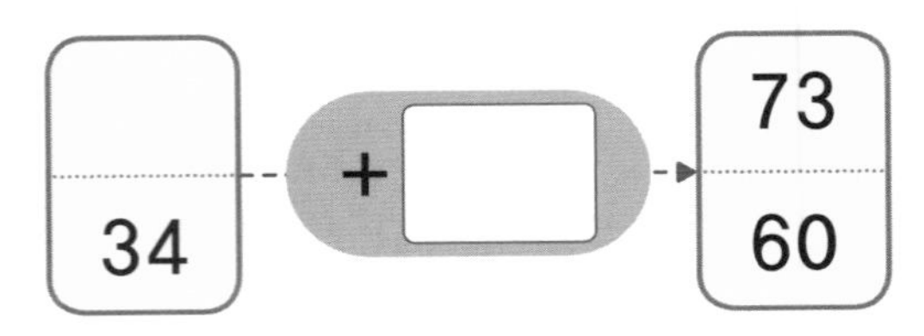

3 준영이의 카드에 있는 두 수의 합과 수정이의 카드에 있는 두 수의 합이 같습니다. 준영이가 가지고 있는 뒤집힌 카드의 수는 얼마일까요?

4 다음과 같이 밑줄 친 곳에 알맞게 쓰고, 어떤 수를 구하세요.

어떤 수에 37을 더한 수는 59보다 23 큰 수입니다.

□ +37 82

□+37=82 □= 45

69에 어떤 수를 더한 수는 78보다 16 큰 수입니다.

□=

어떤 수에 45를 더한 수는 47보다 26 큰 수입니다.

□=

# 186 □가 있는 뺄셈

수직선을 이용하여 뺄셈식의 □의 값을 구해 봅시다.

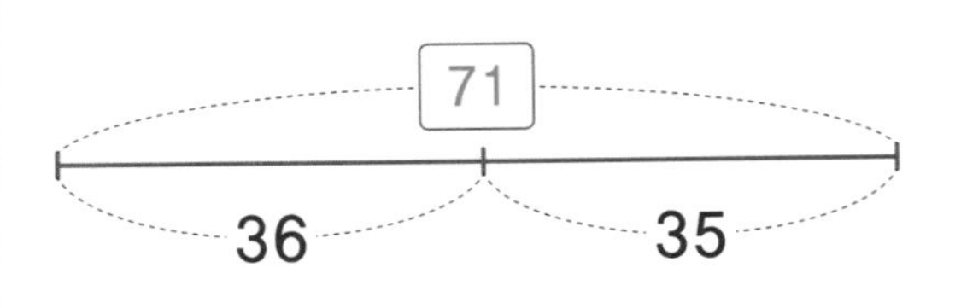


71 − 36 = 35

36 + 35 = 71

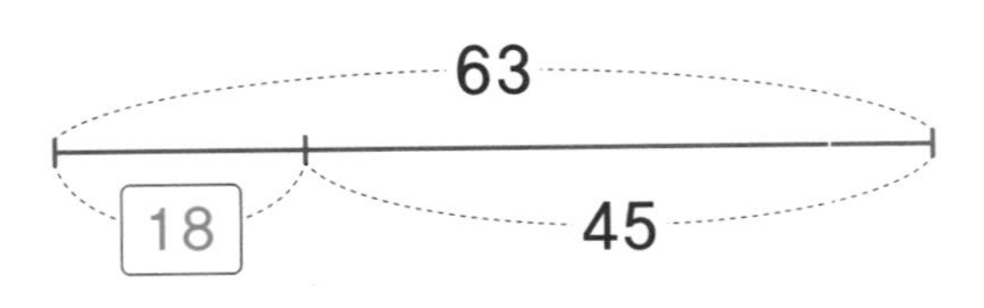


63 − 18 = 45

63 − 45 = 18

□가 있는 뺄셈식에서 □의 값을 덧셈식 또는 뺄셈식을 사용하여 구할 수 있습니다.

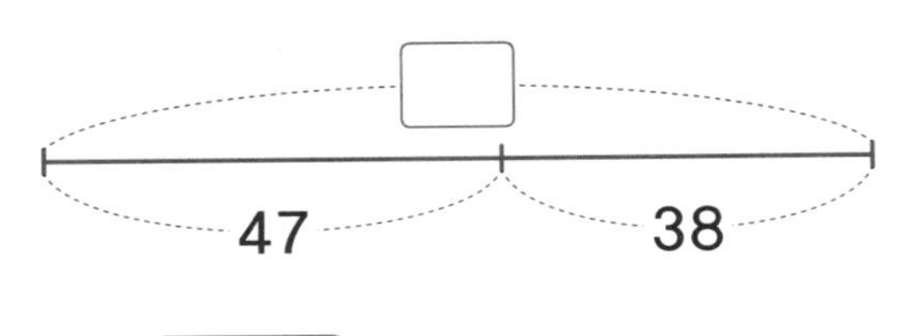


□ − 47 = 38

47 + 38 = □

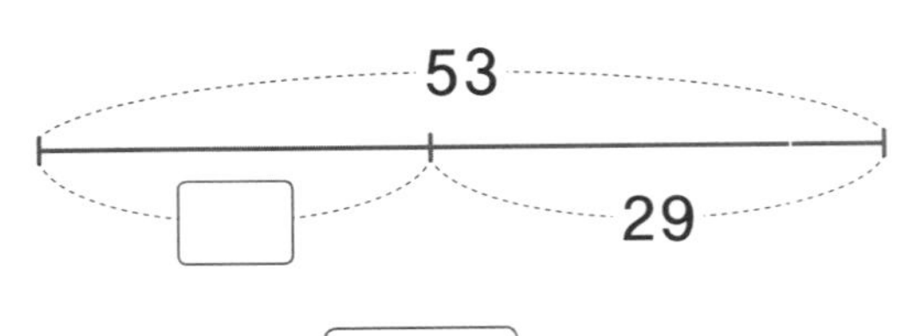


53 − □ = 29

53 − 29 = □

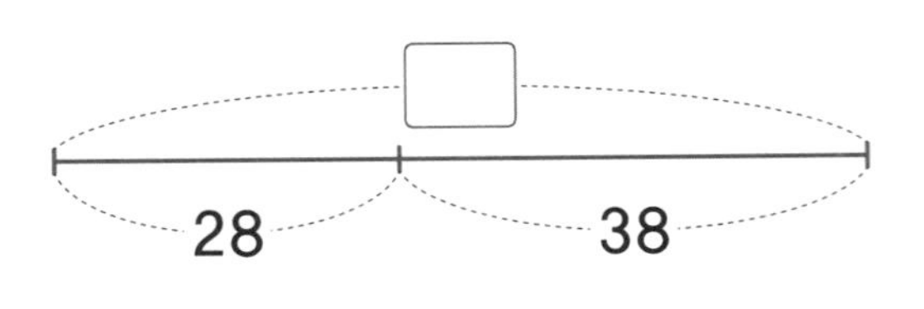


□ − 28 = 38

28 + 38 = □

92

57

92 − □ = 57

92 − 57 = □

□ − 19 = 33
33 + 19 = □

72 − □ = 47
72 − 47 = □

□ − 28 = 39
28 + 39 = □

92 − □ = 48
92 − 48 = □

84 − □ = 35

□ − 25 = 28

75 − □ = 37

□ − 23 = 39

94 − □ = 47

□ − 24 = 18

76 − □ = 58

□ − 45 = 37

64 − □ = 28

□ − 28 = 27

41 − □ = 14

□ − 57 = 39

1 ◯ 안에 알맞은 수를 쓰고 관계있는 것끼리 선으로 이으세요.

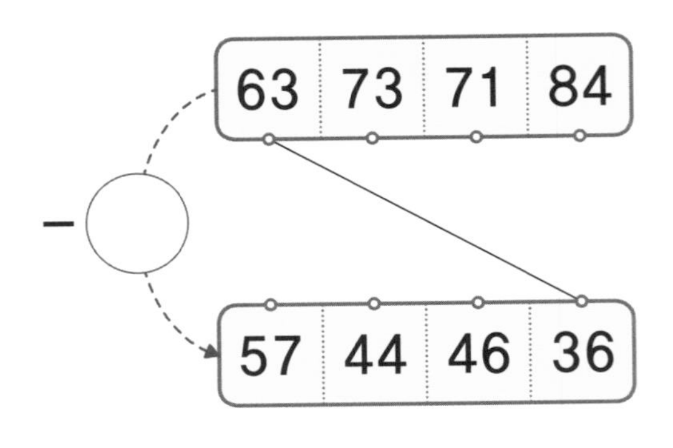


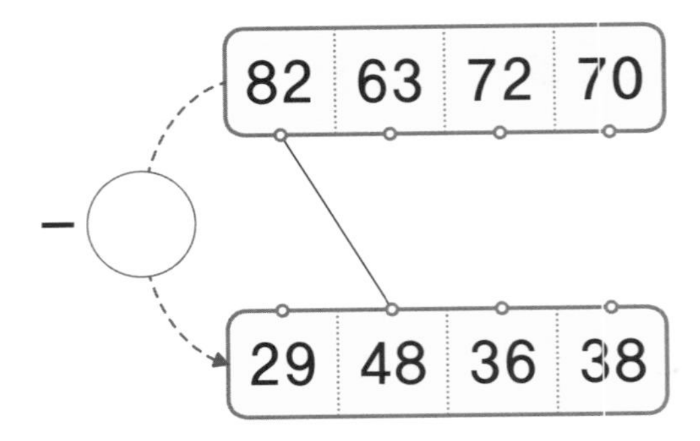


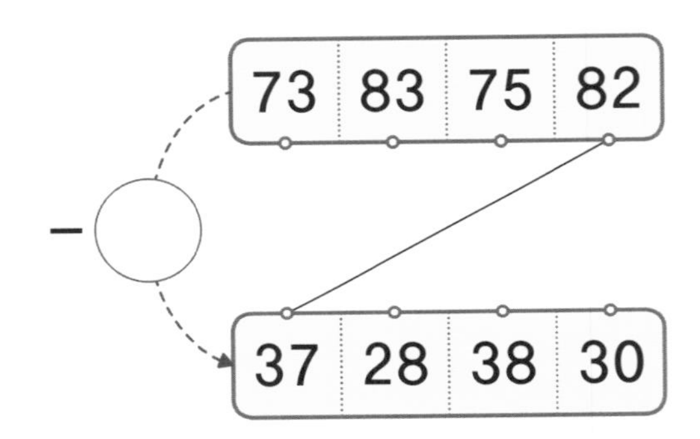


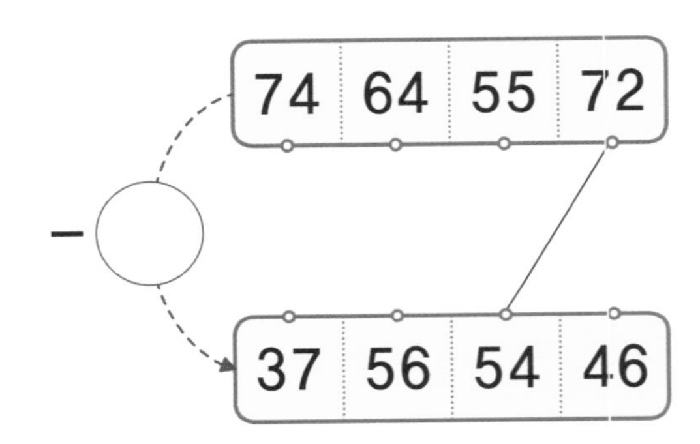


2 ◯ 안에 알맞은 수를 찾고 뺄셈을 하여 빈칸을 채우세요.

− ◯

| | |
|---|---|
| 84 | 49 |
| | 37 |
| 83 | |

− ◯

| | |
|---|---|
| | 38 |
| 56 | 29 |
| 74 | |

− ◯

| | |
|---|---|
| 83 | 39 |
| | 28 |
| 81 | |

3 1부터 9까지의 수 중 □ 안에 들어갈 수 있는 수를 모두 쓰세요.

$80-2\square<54$ ____________________

$92-\square7>59$ ____________________

$\square4-38>37$ ____________________

4 몇을 □라 하여 식을 세우고 □의 값을 구하세요.

자두가 73개 있었습니다. 몇(□) 개 팔았더니 35개가 남았습니다.

식 ____________________ □= ________ 개

사탕이 몇(□) 개 있었습니다. 동생에게 28개 주었더니 54개가 남았습니다.

식 ____________________ □= ________ 개

# 187 □가 있는 덧셈과 뺄셈

□의 값을 구해 봅시다.

| 27 | □ |
| --- | --- |
| 41 | |

$27 + \square = 41$

$\square = 41 - 27$

$\square = 14$

| 54 | |
| --- | --- |
| □ | 16 |

$54 - \square = 16$

$\square = 54 - 16$

$\square = 38$

$\square + 29 = 62$

$\square = \square - \square = \square$

$\square - 34 = 70$

$\square = \square + \square = \square$

$57 + \square = 93$

$\square = \square - \square = \square$

$85 - \square = 28$

$\square = \square - \square = \square$

$\square + 55 = 102$

$\square = \square - \square = \square$

$\square - 76 = 29$

$\square = \square + \square = \square$

$35+\square=62$

$\square=$ 62−35

$=$ 27

$63-\square=24$

$\square=$

$=$

$\square+55=93$

$\square=$

$=$

$\square-29=65$

$\square=$

$=$

$58+\square=81$

$\square=$

$=$

$84-\square=56$

$\square=$

$=$

$\square+36=84$

$\square+28=75$

$\square-27=59$

$\square-37=28$

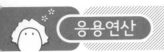

1 아래 두 수의 합이 위의 수가 됩니다. 빈칸에 알맞은 두 자리 수를 쓰세요.

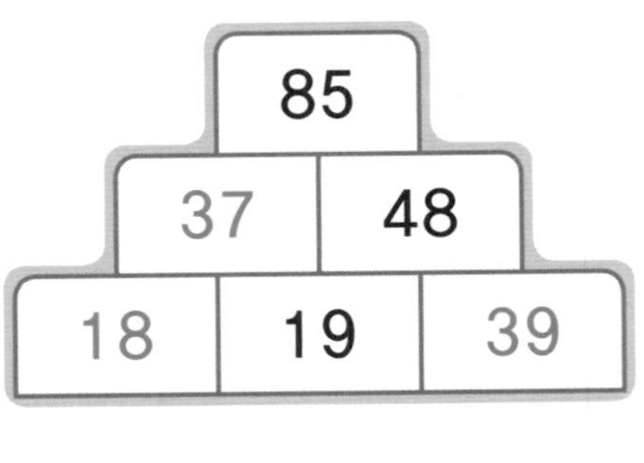


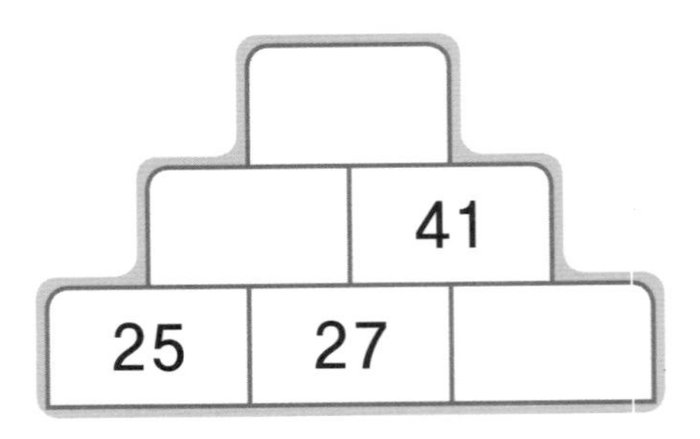


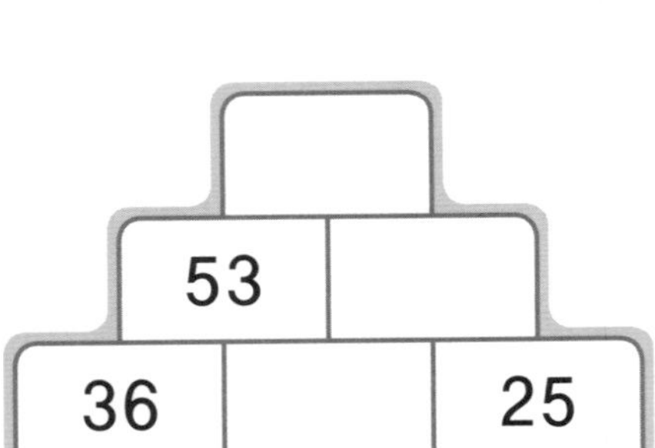


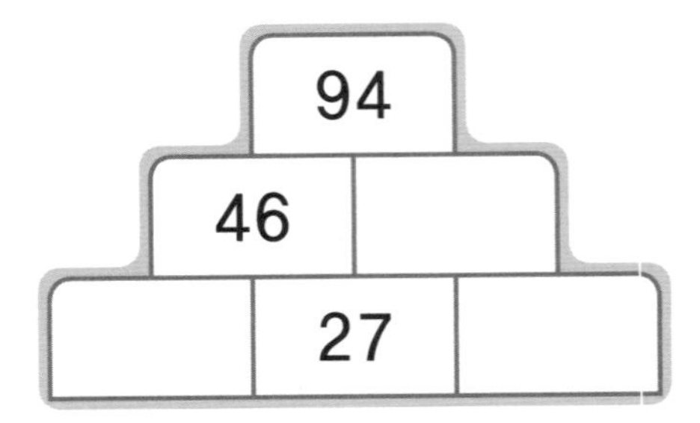


2 위 두 수의 차가 아래의 수가 됩니다. 빈칸에 알맞은 두 자리 수를 쓰세요.

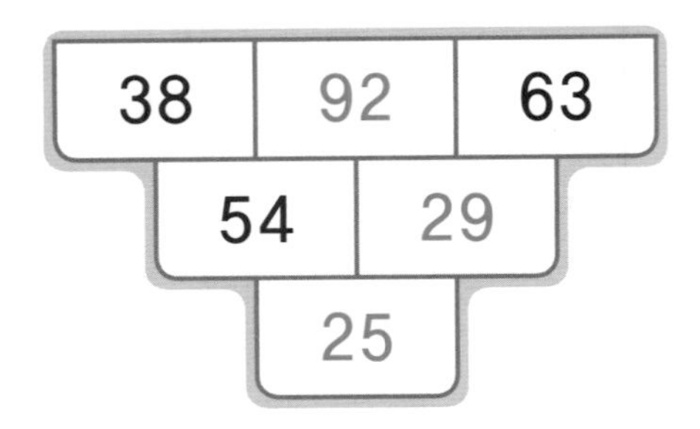


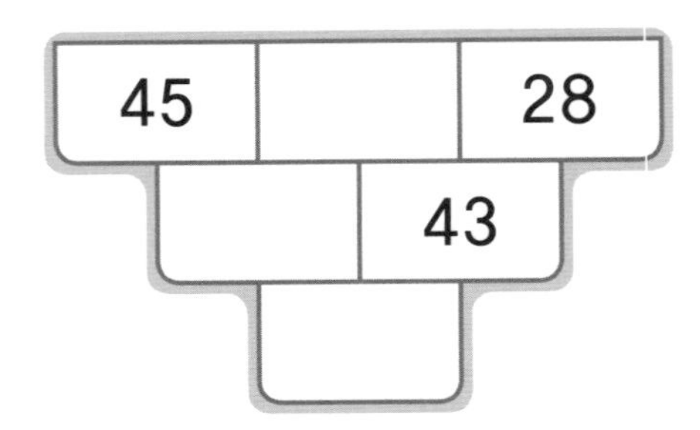


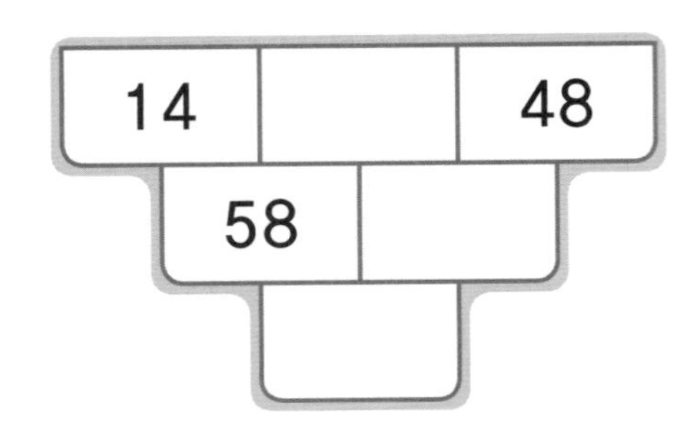


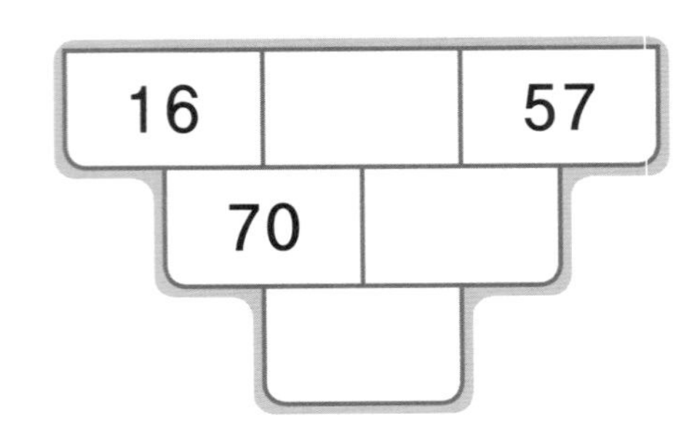

3 같은 모양은 같은 수를 나타냅니다. □ 안에 알맞은 수를 쓰세요.

54 + ■ = 81
85 − ■ = □

93 − ● = 38
● + 26 = □

⬟ − 15 = 28
37 + ⬟ = □

▲ + 27 = 91
▲ − 31 = □

4 어떤 수를 구하고 바르게 계산하세요.

어떤 수에 **28**을 더해야 할 것을 잘못하여 **34**를 뺐더니 **18**이 되었습니다. 바르게 계산하면 얼마일까요?

어떤 수 구하기: 식 ______________ □= ______

바르게 계산하기: 식 ______________ 답 ______

어떤 수에서 **16**을 빼야 할 것을 잘못하여 **46**을 더했더니 **92**가 되었습니다. 바르게 계산하면 얼마일까요?

어떤 수 구하기: 식 ______________ □= ______

바르게 계산하기: 식 ______________ 답 ______

# 188 숫자 카드 덧셈과 뺄셈

개념원리

숫자를 한 번씩 사용하여 덧셈식 또는 뺄셈식을 완성하여 봅시다.

$$\begin{array}{r} \boxed{7}\ 5 \\ +\ 8\ \boxed{9} \\ \hline 1\ \boxed{6}\ 4 \end{array} \qquad \begin{array}{r} \boxed{9}\ 2 \\ -\ \boxed{6}\ \boxed{7} \\ \hline 2\ 5 \end{array}$$

5 8 3

$$\begin{array}{r} 4\ \square \\ +\ \square\ 6 \\ \hline 1\ \square\ 1 \end{array}$$

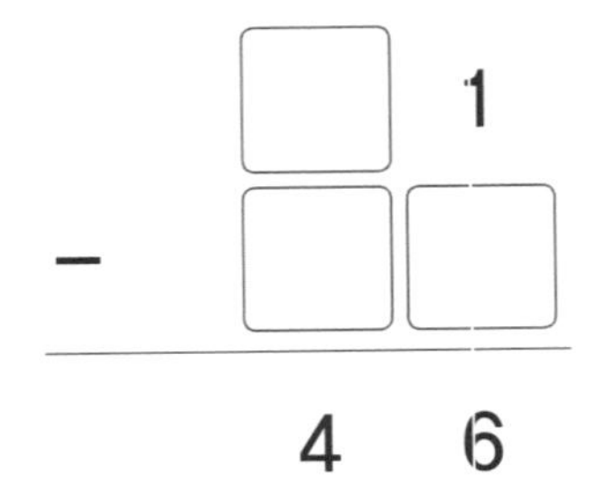


$$\begin{array}{r} \square\ 1 \\ -\ \square\ \square \\ \hline 4\ 6 \end{array}$$

4 6 7

$$\begin{array}{r} \square\ 9 \\ +\ 7\ \square \\ \hline 1\ 2\ \square \end{array} \qquad \begin{array}{r} \square\ \square \\ -\ \square\ 8 \\ \hline 2\ 8 \end{array}$$

2 9 5

$$\begin{array}{r} 6\ \square \\ +\ \square\ 3 \\ \hline 1\ 2\ \square \end{array} \qquad \begin{array}{r} \square\ 4 \\ -\ \square\ 9 \\ \hline 6\ \square \end{array}$$

7 1
2 8

$$\begin{array}{r} 7\ 2 \\ -\ 1\ 8 \\ \hline 5\ 4 \end{array} \qquad \begin{array}{r} \square\square \\ +\ \square\square \\ \hline 1\ 0\ 8 \end{array} \qquad \begin{array}{r} \square\square \\ -\ \square\square \\ \hline 6\ 5 \end{array}$$

5 4
3 6

$$\begin{array}{r} \square\square \\ +\ \square\square \\ \hline 8\ 1 \end{array}$$

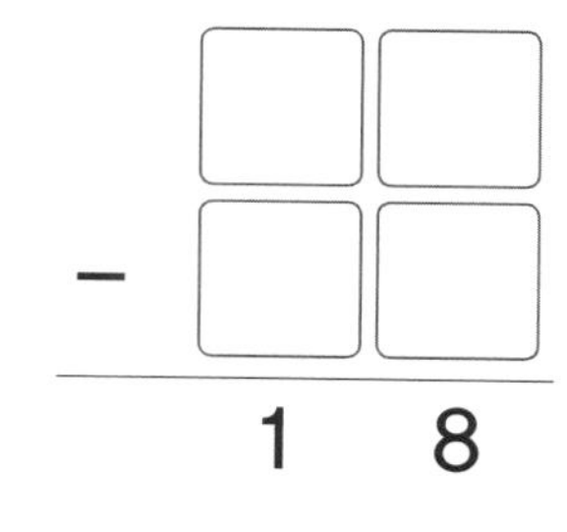

$$\begin{array}{r} \square\square \\ -\ \square\square \\ \hline 1\ 8 \end{array} \qquad \begin{array}{r} \square\square \\ +\ \square\square \\ \hline 1\ 1\ 7 \end{array}$$

9 2
3 7

$$\begin{array}{r} \square\square \\ -\ \square\square \\ \hline 5\ 5 \end{array}$$

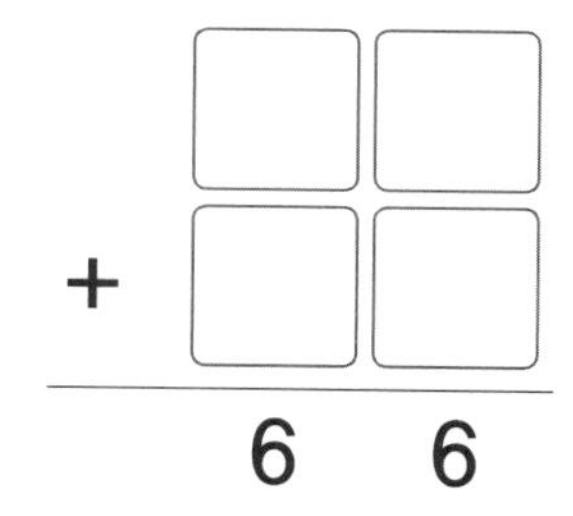

$$\begin{array}{r} \square\square \\ +\ \square\square \\ \hline 6\ 6 \end{array} \qquad \begin{array}{r} \square\square \\ -\ \square\square \\ \hline 4\ 4 \end{array}$$

8 3
4 6

$$\begin{array}{r} \square\square \\ +\ \square\square \\ \hline 8\ 4 \end{array} \qquad \begin{array}{r} \square\square \\ -\ \square\square \\ \hline 4\ 8 \end{array} \qquad \begin{array}{r} \square\square \\ +\ \square\square \\ \hline 1\ 2\ 0 \end{array}$$

1 주어진 숫자를 한 번씩 사용하여 계산 결과가 가장 큰 덧셈식과 계산 결과가 가장 작은 뺄셈식을 만들고 계산하세요.

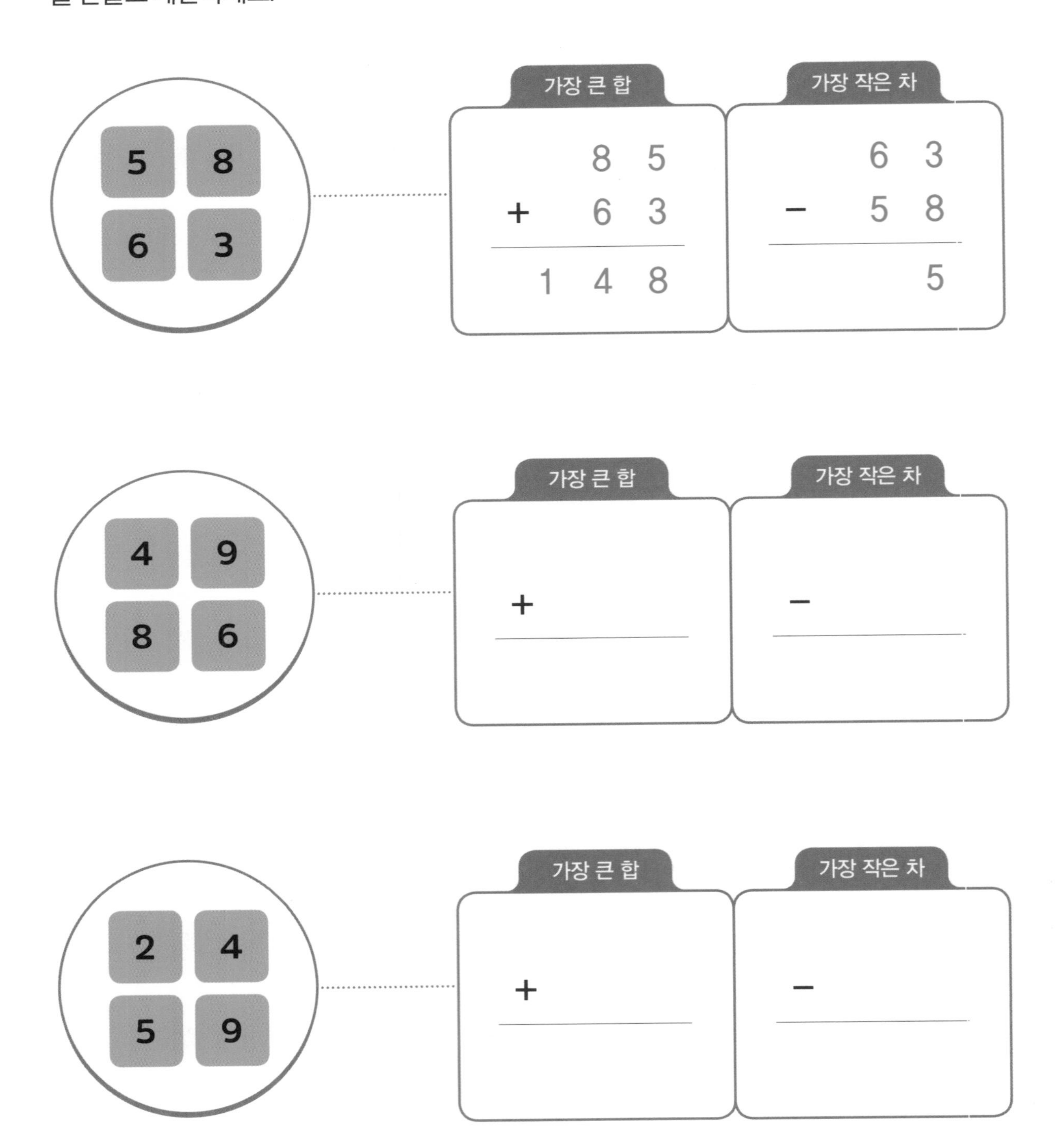

2 일의 자리 숫자가 8인 두 자리 수와 십의 자리 숫자가 5인 두 자리 수가 있습니다. 이 두 수의 합이 83일 때 □ 안에 알맞은 수를 쓰세요.

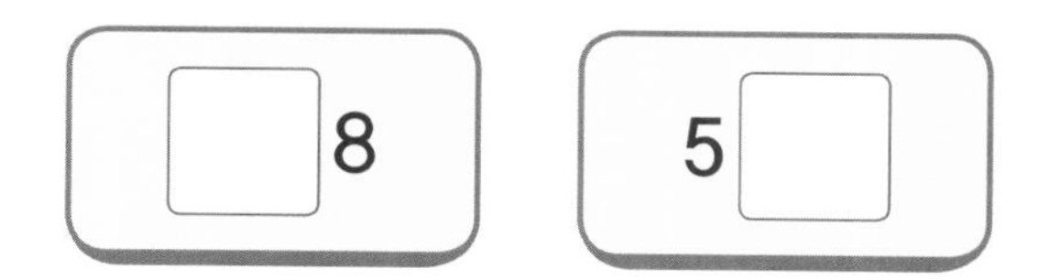

3 십의 자리 숫자가 9인 두 자리 수에서 일의 자리 숫자가 7인 두 자리 수를 빼면 56입니다. 두 수를 각각 구하세요.

두 수: 

4 숫자 카드를 보고, 물음에 답하세요.

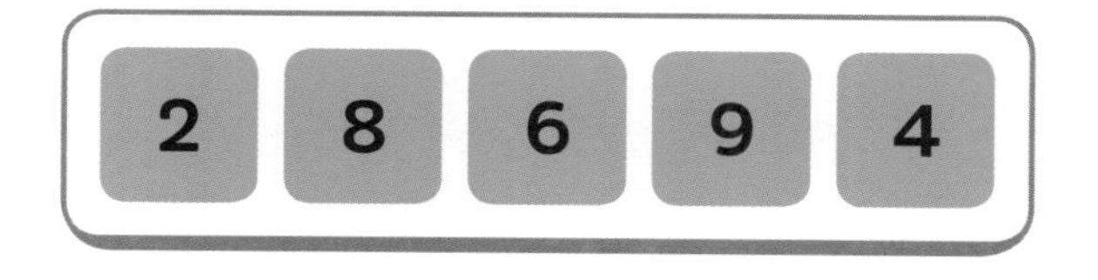


숫자 카드로 만든 두 자리 수 중에서 십의 자리 숫자가 6인 가장 작은 수와 십의 자리 숫자가 4인 가장 큰 수의 차는 얼마일까요?

□

숫자 카드로 만든 두 자리 수 중에서 십의 자리 숫자가 4인 가장 큰 수와 일의 자리 숫자가 8인 가장 작은 수의 합은 얼마일까요?

□

# 형성평가

1 계산 결과에 맞게 길을 그리세요.

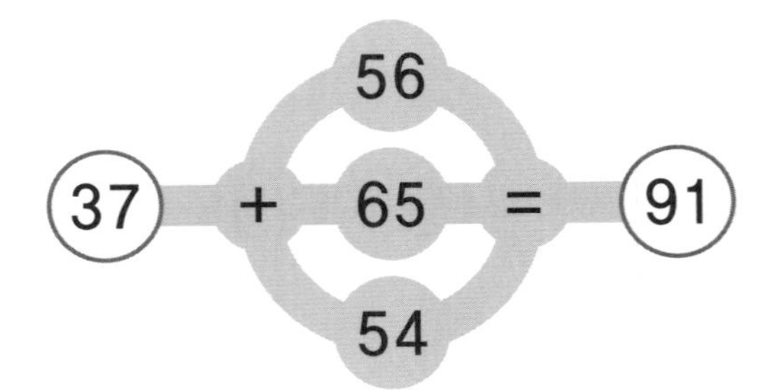


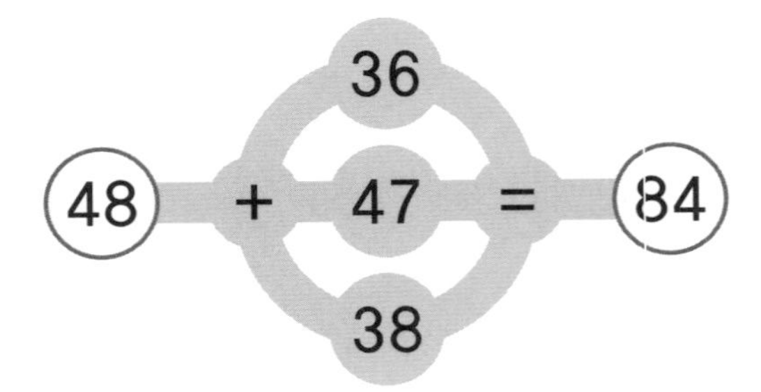


2 빈칸에 알맞은 수를 쓰세요.

3 43에 어떤 수를 더한 수는 27보다 63 큰 수입니다. 어떤 수를 □라 하여 식을 세우고, 어떤 수를 구하세요.

식 ______________________ □= __________

4 ◯ 안에 알맞은 수를 쓰고 관계있는 것끼리 선으로 이으세요.

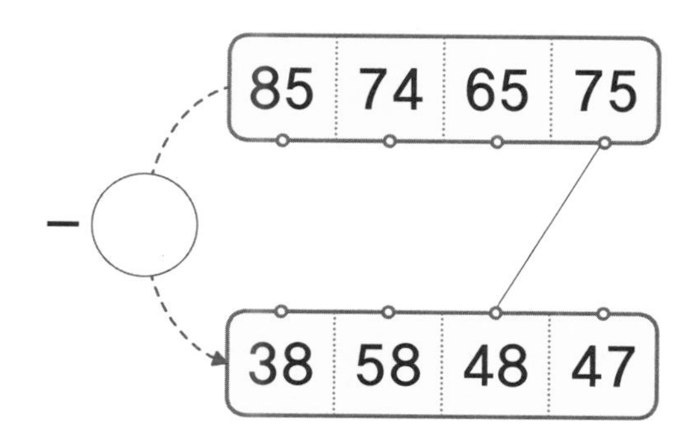


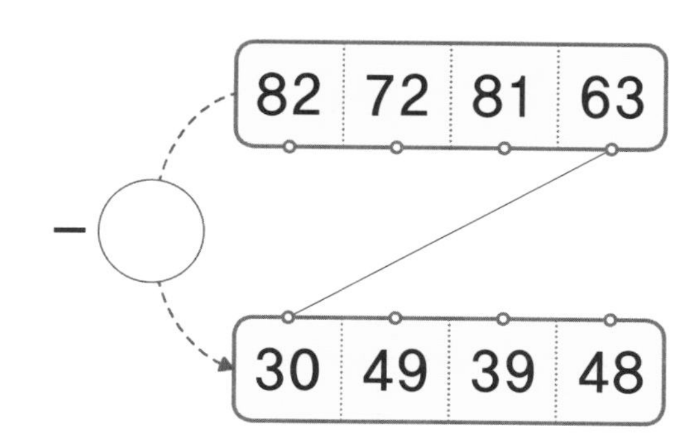


5 0에서 9까지의 수 중 □ 안에 들어갈 수 있는 수를 모두 구하세요.

$72 - 2\square < 46$

______________________

6 몇을 □라 하여 식을 세우고 □의 값을 구하세요.

우표가 몇 장 있었습니다. 친구에게 36장을 주었더니 39장 남았습니다.

식 ______________________ □= __________

7 아래 두 수의 합이 위의 수가 됩니다. 빈칸에 알맞은 수를 쓰세요.

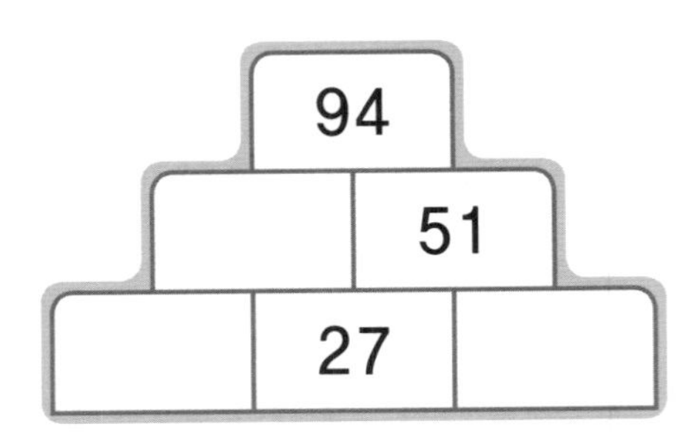


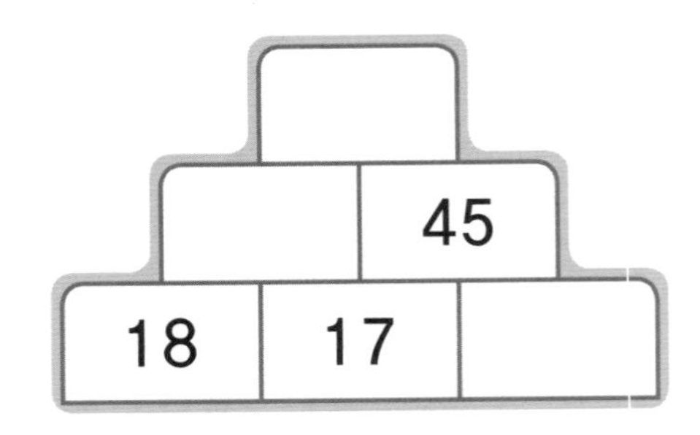


8 어떤 수에서 27을 빼야 할 것을 잘못하여 37을 더했더니 74가 되었습니다. 바르게 계산하면 얼마일까요?

어떤 수 구하기: 식 ______ □= ______

바르게 계산하기: 식 ______ 답 ______

9 일의 자리 숫자가 6인 두 자리 수와 십의 자리 숫자가 3인 두 자리 수가 있습니다. 이 두 수의 합이 81일 때 □ 안에 알맞은 수를 쓰세요.

□6 3□

4주차

# 세 수의 계산

덧셈과 뺄셈이 혼합된 세 수의 계산

# 세 수의 혼합 계산 (1)

세 수의 계산을 해 봅시다.

$29+17-18=$ [28]

$29+17=$ [46]

| | 2 | 9 |
|---|---|---|
| + | 1 | 7 |
| | 4 | 6 |

| | 4 | 6 |
|---|---|---|
| − | 1 | 8 |
| | 2 | 8 |

+, −가 함께 있는 세 수의 계산은 앞에서부터 순서대로 합니다.

$54-36+49=$ [ ]

[ ]

| | 5 | 4 |
|---|---|---|
| − | 3 | 6 |
| | | |

| | | |
|---|---|---|
| + | 4 | 9 |
| | | |

$48+18+37=$ [ ]

[ ]

| | 4 | 8 |
|---|---|---|
| + | 1 | 8 |
| | | |

| | | |
|---|---|---|
| + | 3 | 7 |
| | | |

$91-25-38=$ [ ]

[ ]

| | 9 | 1 |
|---|---|---|
| − | 2 | 5 |
| | | |

| | | |
|---|---|---|
| − | 3 | 8 |
| | | |

$54+36-49$

$73-28+37$

$37+59+25$

$85-39-26$

$61-43+57$

$47+55-64$

$76-29-28$

$27+36+18$

$15+76-34$

$82-48+38$

$27+38+45$

$69+25-47$

$86-19+26$

$43+47-24$

1 사다리를 타고 내려가는 길의 계산에 맞게 빈칸에 알맞은 수를 쓰세요.

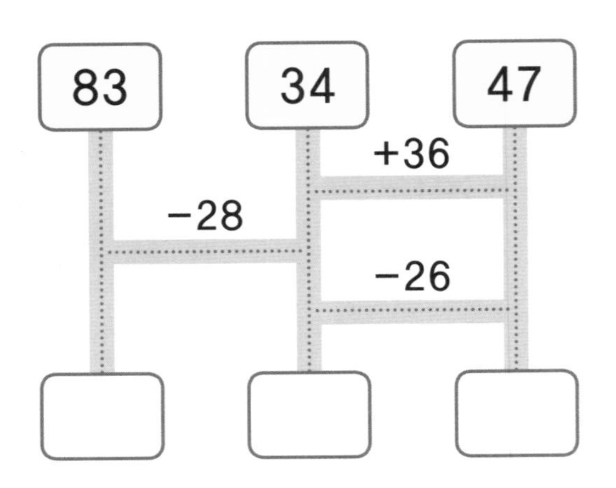


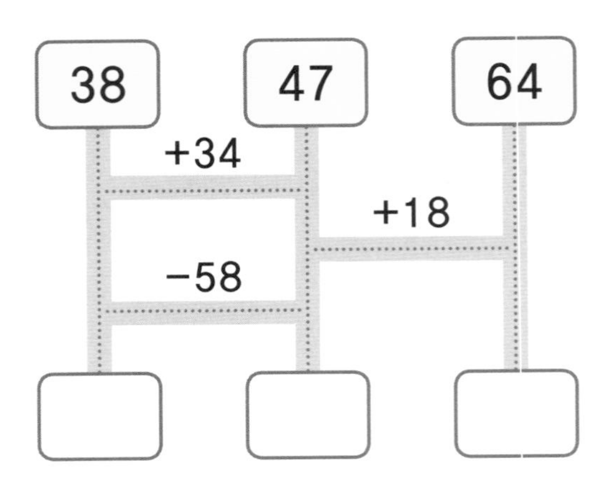


2 ◯ 안에 + 또는 −를 채우세요.

35 (+) 46 (−) 23 = 58

24 ◯ 37 ◯ 48 = 109

56 ◯ 26 ◯ 35 = 47

84 ◯ 49 ◯ 57 = 92

72 ◯ 53 ◯ 47 = 66

96 ◯ 18 ◯ 39 = 39

49 ◯ 36 ◯ 16 = 101

61 ◯ 34 ◯ 45 = 72

3 약속에 맞게 계산하세요.

약속 ◧ ▣ ◑ = ◧ + ◑ + ◑

54 ▣ 19 = ☐

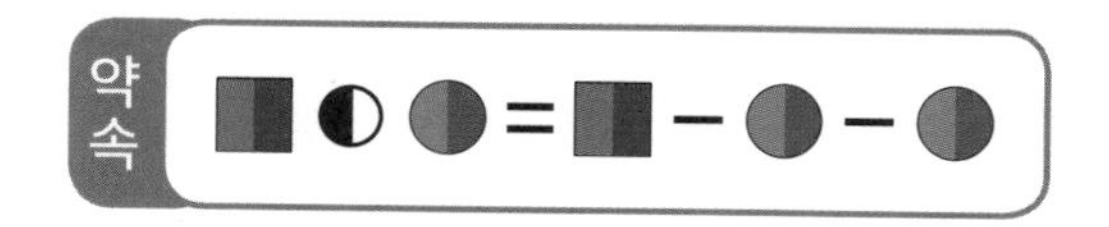

92 ◐ 27 = ☐

4 버스에 36명이 타고 있었습니다. 정류장에 도착하여 19명이 내리고 16명이 탔습니다. 지금 버스에 타고 있는 사람은 몇 명일까요?

 ______________________  __________ 명

5 봉지 안에 사탕이 64개 들어 있었습니다. 그중에 29개를 먹고, 17개를 더 넣었습니다. 봉지 안에 들어 있는 사탕은 몇 개일까요?

 ______________________  __________ 개

# 세 수의 혼합 계산 (2)

여러 가지 방법으로 세 수의 계산을 해 봅시다.

$73 - 49 + 46 = 73 - \boxed{3}$

$= \boxed{70}$

49를 빼고 46을 더하는 것은
3을 빼는 것과 같습니다.

$68 - 27 - 13 = 68 - \boxed{40}$

$= \boxed{28}$

27을 빼고 13을 빼는 것은
40을 빼는 것과 같습니다.

$35 + 23 + 17 = 35 + \square$

$= \square$

$73 + 57 - 32 = 73 + \square$

$= \square$

$61 - 35 + 26 = 61 - \square$

$= \square$

$82 - 26 - 16 = 82 - \square$

$= \square$

$56 - 38 + 49 = 56 + \square$

$= \square$

$65 - 18 - 13 = 65 - \square$

$= \square$

$79+16+24$

$82-24-27$

$61-47+48$

$37+75-86$

$48+15+25$

$73-27-13$

$80-29+39$

$44+47-55$

$29+36+18$

$62-19-19$

$92-56+45$

$38+94-89$

$76+17-34$

$42+39-52$

1 계산 결과에 맞게 길을 그리세요.

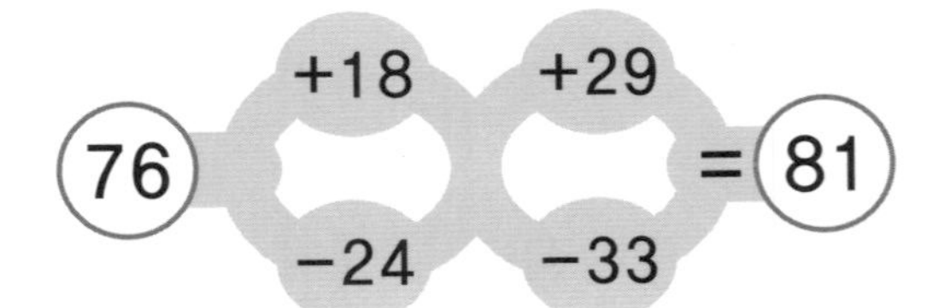

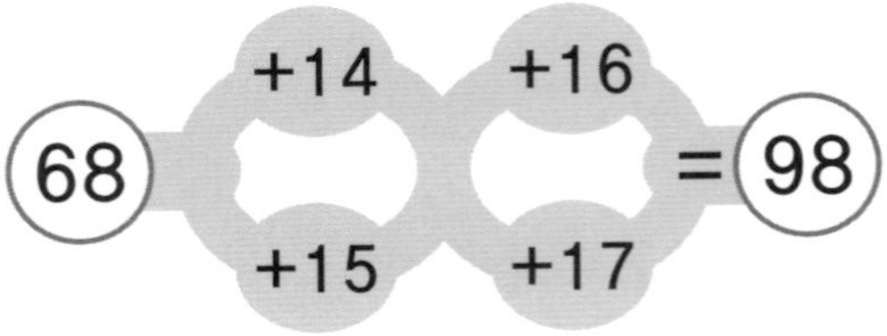

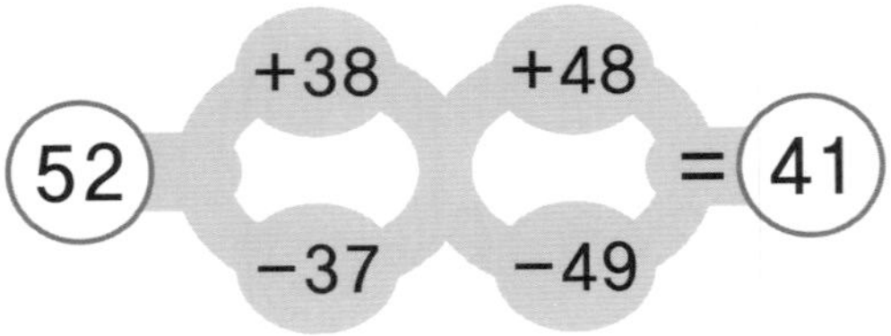

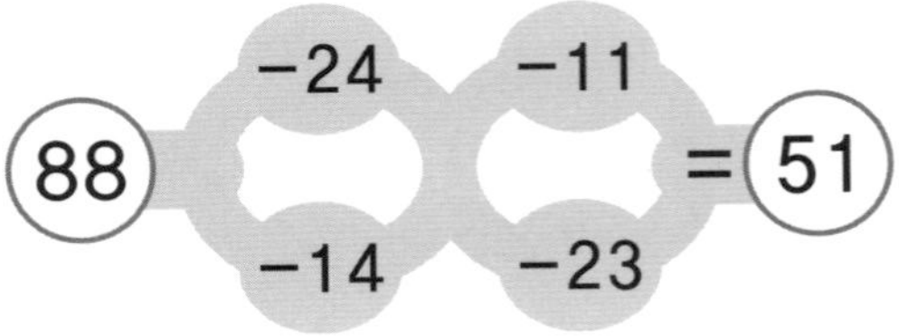

68 (+14 / +15) (+16 / +17) = 98

52 (+38 / -37) (+48 / -49) = 41

88 (-24 / -14) (-11 / -23) = 51

2 색칠한 막대의 길이를 구하세요.

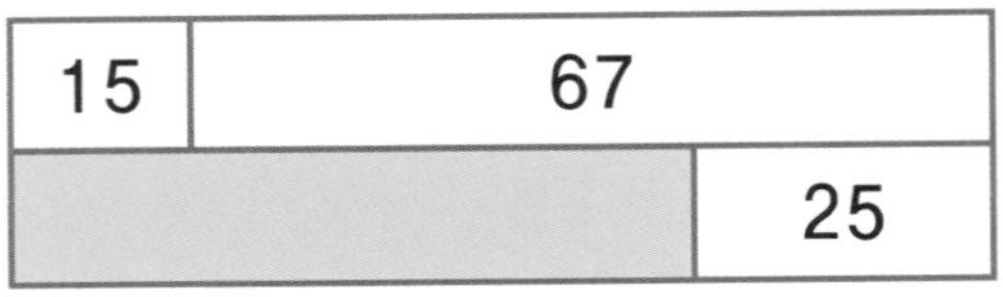

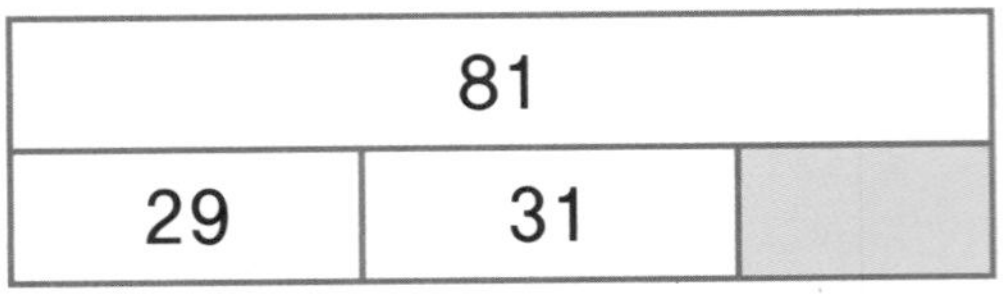

| 57 | 29 |
|---|---|
| 34 | (색칠한 부분) |

☐

| 15 | 67 |
|---|---|
| (색칠한 부분) | 25 |

☐

| 81 | | |
|---|---|---|
| 29 | 31 | (색칠한 부분) |

☐

| 57 | 18 | 13 |
|---|---|---|
| (색칠한 부분) | | |

☐

3 규칙에 따라 수를 썼습니다. □ 안에 알맞은 수를 쓰세요.

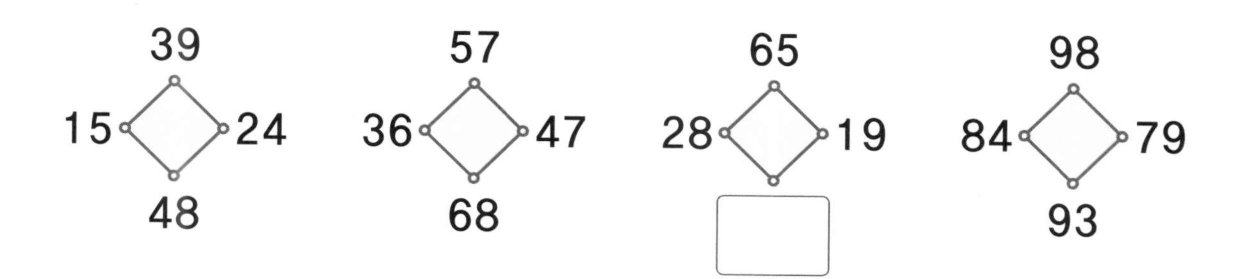


4 유정이는 목걸이를 만드는 데 구슬 65개를 사용했습니다. 형진이는 유정이보다 구슬을 18개 적게 사용했습니다. 두 사람이 사용한 구슬은 모두 몇 개인지 알아봅시다.

형진이가 사용한 구슬은 몇 개일까요?

식 □ − □ = □　　답 □ 개

두 사람이 사용한 구슬은 모두 몇 개일까요?

식 □ + □ = □　　답 □ 개

5 빨간색 구슬은 48개이고, 파란색 구슬은 빨간색 구슬보다 16개가 더 적습니다. 빨간색 구슬과 파란색 구슬은 모두 몇 개일까요?

식 □ + □ − □ = □　　답 □ 개

# 191 거꾸로 계산하기

두 가지 방법으로 세 수의 계산을 해 봅시다.

45 → +27 → 72 → −38 → 34 (거꾸로: 34 → +38 → 72 → −27 → 45)

45 + 27 − 38 = 34

34 + 38 − 27 = 45

거꾸로 계산할 때에는 +는 −로, −는 +로 계산합니다.

□ → +29 → □ → +18 → 72 (거꾸로: −18, −29)

□ + 29 + 18 = 72

72 − 18 − 29 = □

□ → −16 → □ → −45 → 27 (거꾸로: +45, +16)

□ − 16 − 45 = 27

27 + 45 + 16 = □

□ → +27 → □ → −34 → 29

□ + 27 − 34 = 29

29 + 34 − 27 = □

$\square + 26 + 29 = 92$

$92 - 29 - 26 = \square$

$\square + 48 - 39 = 54$

$54 + 39 - 48 = \square$

$\square - 36 + 17 = 75$

$75 - 17 + 36 = \square$

$\square - 15 - 29 = 28$

$28 + 29 + 15 = \square$

$\square + 18 - 23 = 58$

$58 + 23 - 18 = \square$

$\square + 29 + 17 = 81$

$81 - 17 - 29 = \square$

$\square - 38 + 15 = 64$

$64 - 15 + 38 = \square$

$\square + 59 - 33 = 50$

$50 + 33 - 59 = \square$

$\square - 18 - 14 = 19$

$19 + 14 + 18 = \square$

$\square - 46 + 42 = 89$

$89 - 42 + 46 = \square$

1 빈칸에 알맞은 수를 쓰세요.

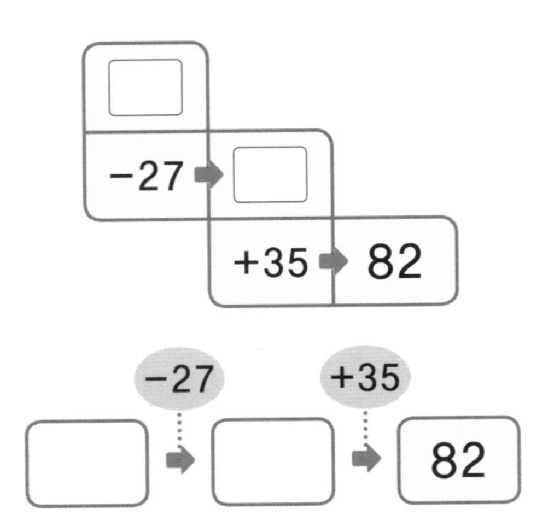


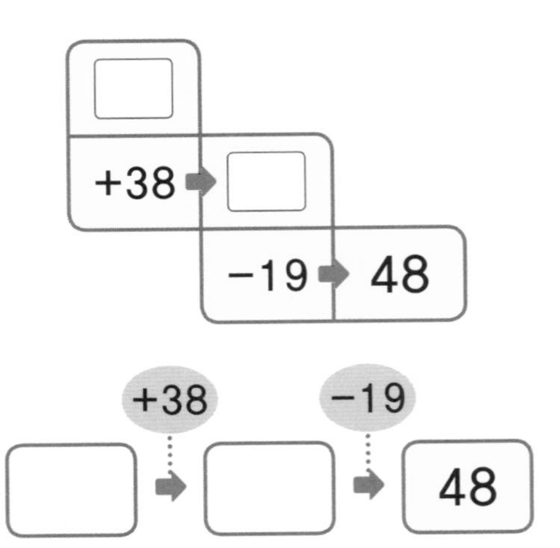


2 사다리를 타고 내려가는 길의 계산에 맞게 빈칸에 알맞은 수를 쓰세요.

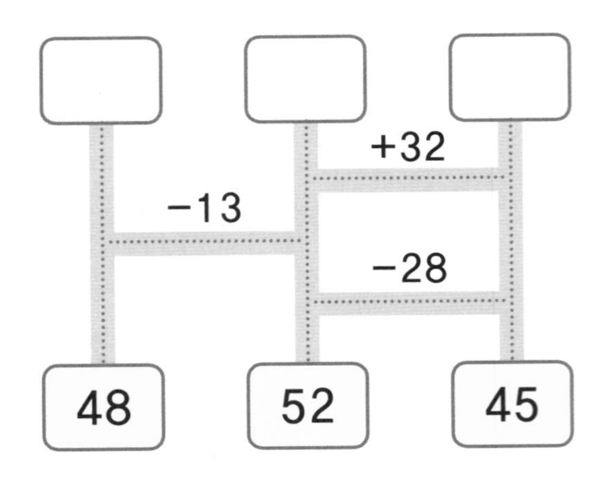


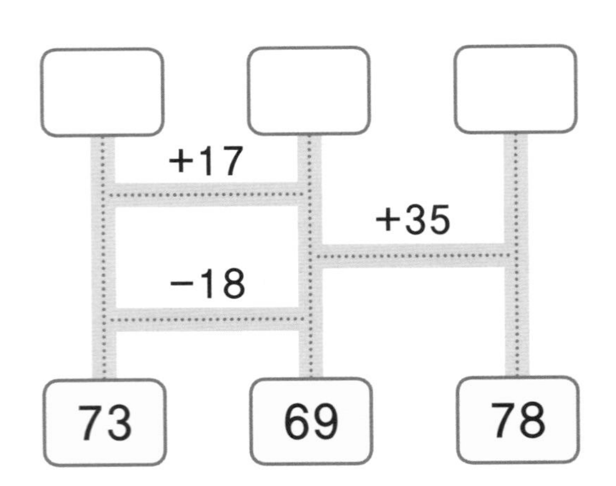

3 같은 모양은 같은 수, 다른 모양은 다른 수를 나타냅니다. ★은 얼마일까요?

♥ − 15 + 38 = 62
★ + 57 − 48 = ♥

★ = □

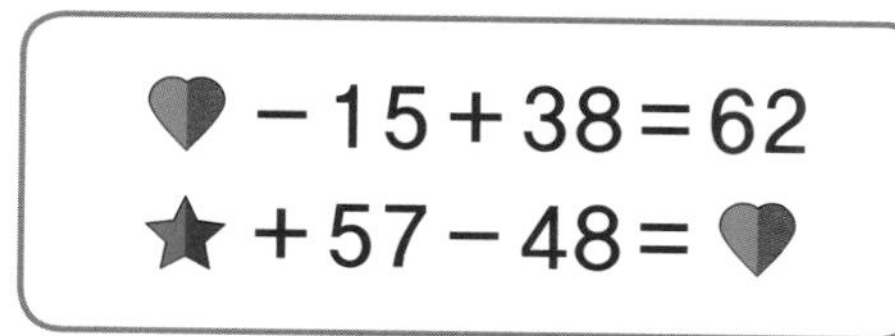

4 어떤 수에 26을 더하고 37을 뺐더니 53이 되었습니다. 어떤 수를 □라 하여 식을 세우고 □의 값을 구하세요.

식 ________________ □ = ________

5 빨간색 구슬이 몇 개 있습니다. 파란색 구슬은 빨간색 구슬보다 28개 더 많고, 노란색 구슬은 파란색 구슬보다 15개 더 적습니다. 노란색 구슬이 45개라고 할 때 빨간색 구슬은 몇 개일까요?

식 ________________ 답 ________ 개

6 사탕이 몇 개 있었습니다. 영호가 19개 먹고, 동생이 16개 먹었더니 사탕이 17개 남았습니다. 처음에 사탕은 몇 개 있었을까요?

식 ________________ 답 ________ 개

# □가 있는 세 수의 계산

개념 원리

그림을 보고 세 수의 계산에서 □의 값을 구해 봅시다.

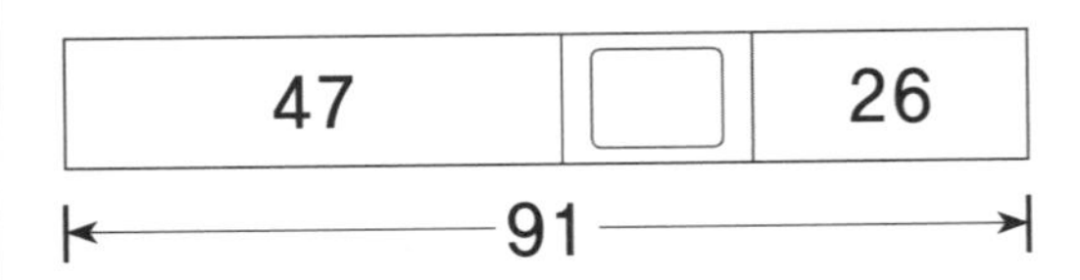


47 + [18] + 26 = 91

91 − 47 − 26 = [18]

42 | □ / 17 | 83

42 + [58] − 17 = 83

83 + 17 − 42 = [58]

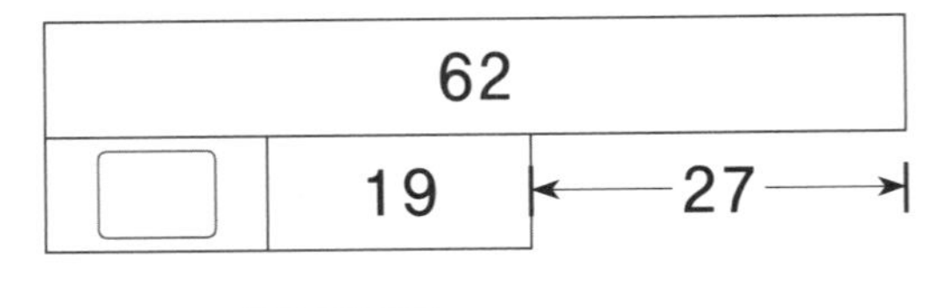


62 − □ − 19 = 27

62 − 19 − 27 = □

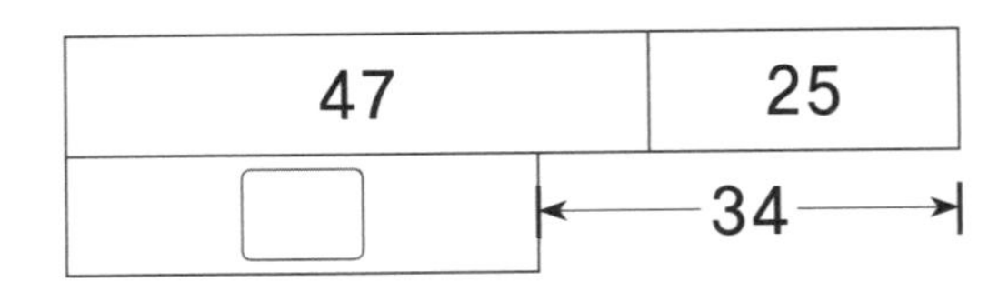


47 + 25 − □ = 34

47 + 25 − 34 = □

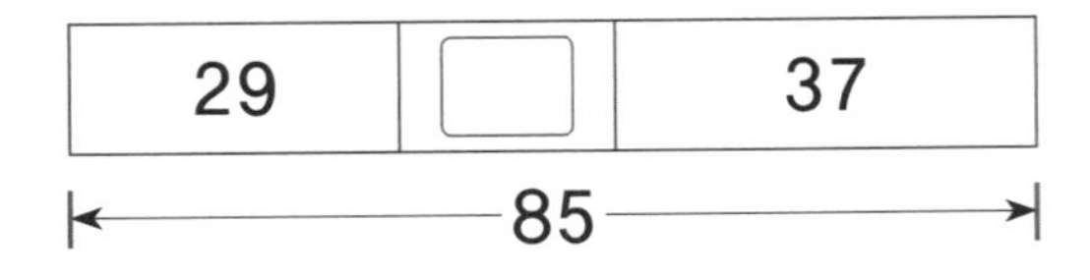


29 + □ + 37 = 85

85 − 29 − 37 = □

35 | □ / 41 | 24

35 + □ − 41 = 24

41 + 24 − 35 = □

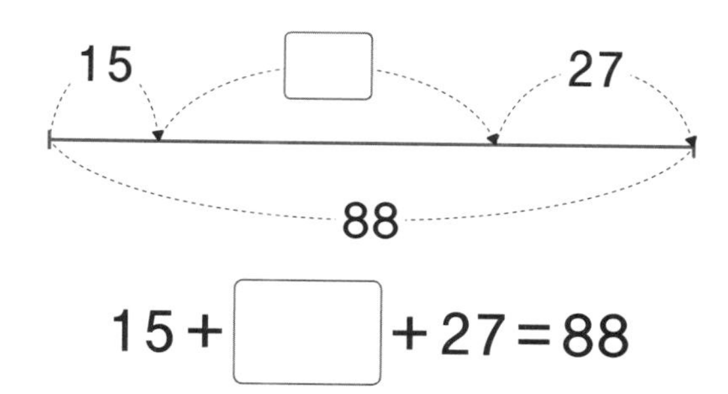


$15+\square+27=88$

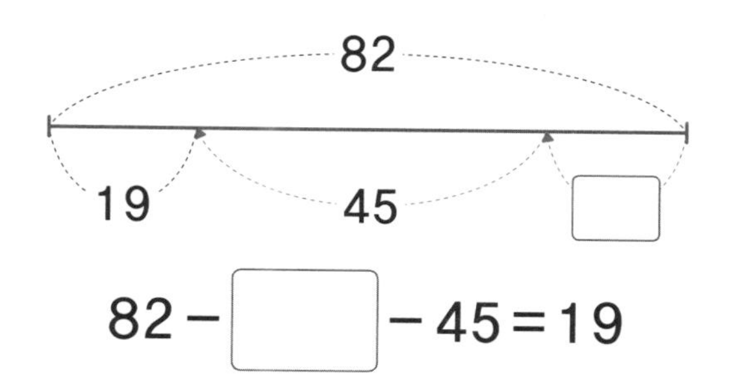


$82-\square-45=19$

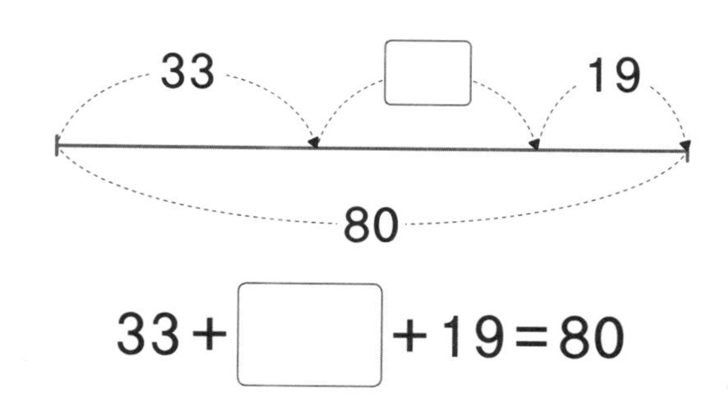


$33+\square+19=80$

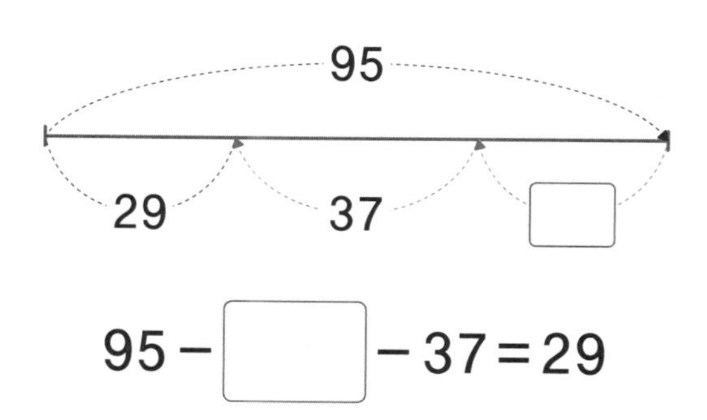


$95-\square-37=29$

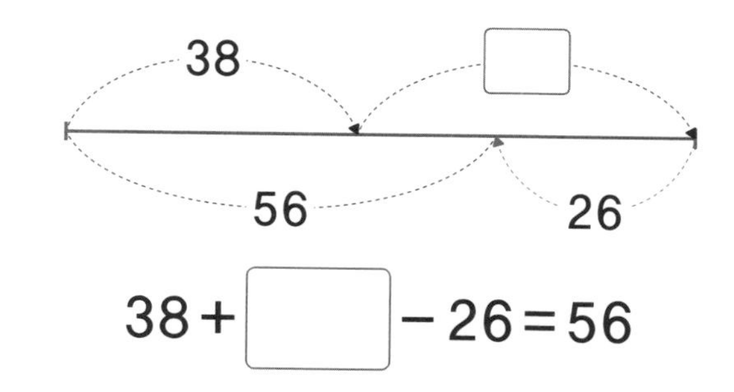


$38+\square-26=56$

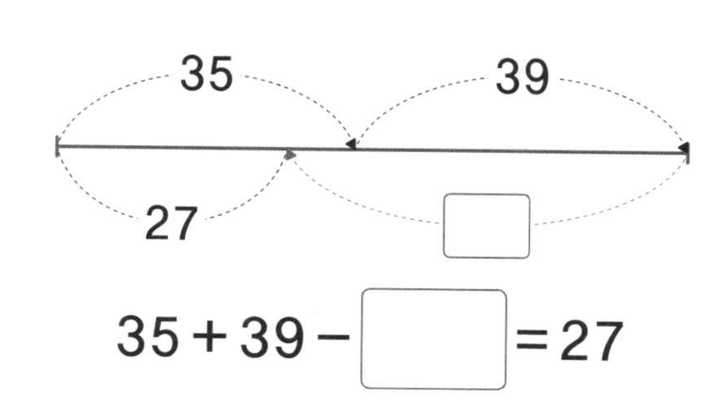


$35+39-\square=27$

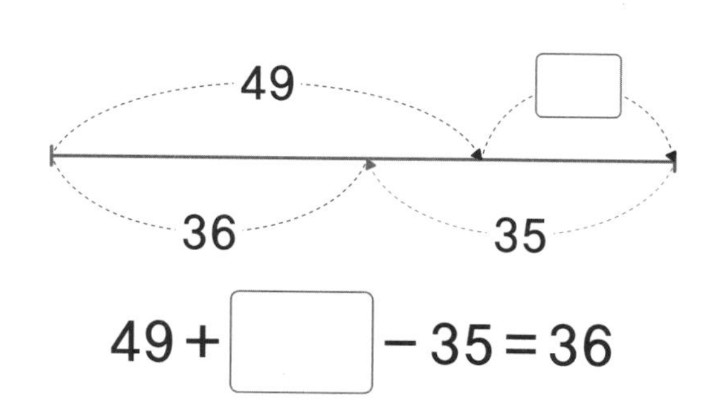


$49+\square-35=36$

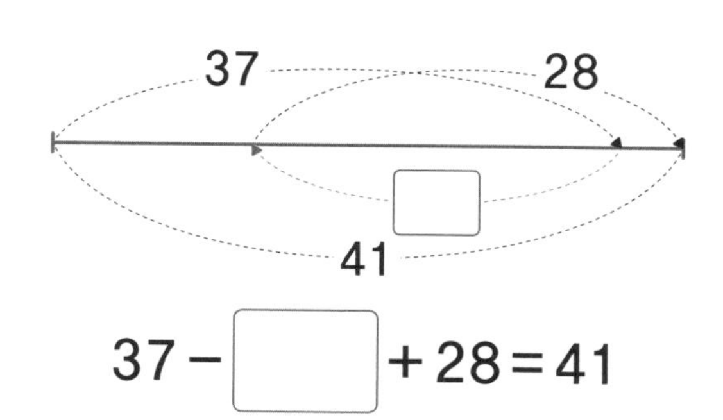


$37-\square+28=41$

1 □ 안의 값을 구하는 식을 찾아 ◯표 하고, □ 안에 알맞은 수를 쓰세요.

$17 + \square + 29 = 94$

| | |
|---|---|
| $94 + 17 + 29$ | $94 + 17 - 29$ |
| $94 - 17 + 29$ | $94 - 17 - 29$ |

$56 - \square + 37 = 43$

| | |
|---|---|
| $56 - 37 + 43$ | $43 + 37 - 56$ |
| $56 + 37 - 43$ | $43 + 37 + 56$ |

$83 - \square - 19 = 32$

| | |
|---|---|
| $83 + 19 + 32$ | $83 + 19 - 32$ |
| $83 - 19 + 32$ | $83 - 19 - 32$ |

2 □ 안의 수가 같은 것끼리 선으로 이으세요.

| | |
|---|---|
| $\square - 30 - 18 = 37$ | $37 + 30 - 18 = \square$ |
| $37 - \square + 18 = 30$ | $37 + 30 + 18 = \square$ |
| $37 + 30 - \square = 18$ | $37 + 18 - 30 = \square$ |

3 4부터 9까지의 수를 한 번씩 사용하여 계산한 값이 가장 크게 되도록 다음 식을 완성하려고 합니다. 계산 결과를 구하세요.

□□ − □□ + □□ 계산 결과: □

4 39와 57의 합에서 어떤 수를 뺐더니 46이 되었습니다. 어떤 수를 □라 하여 식을 세우고 □의 값을 구하세요.

식 ______________ □= ______

5 밑줄 친 몇을 □라 하여 식을 세우고 물음에 답하세요.

재현이는 공책을 32권 가지고 있었습니다. 동생에게 몇 권을 주고 형에게 27권을 받았더니 43권이 되었습니다. 재현이가 동생에게 준 공책은 몇 권일까요?

식 ______________ 답 ______ 권

버스에 45명이 타고 있었습니다. 이번 정류장에서 18명이 내리고 몇 명이 탔더니 41명이 되었습니다. 이번 정류장에서 버스에 탄 사람은 몇 명일까요?

식 ______________ 답 ______ 명

# 형성평가

1 사다리를 타고 내려가는 길의 계산에 맞게 빈칸에 알맞은 수를 쓰세요.

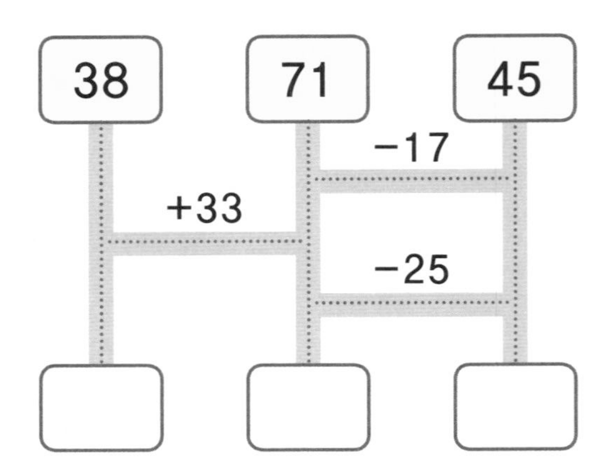


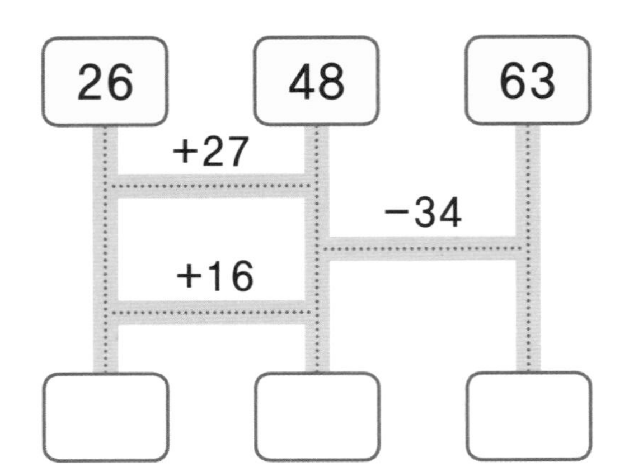


2 ◯ 안에 + 또는 −를 채우세요.

56 ◯ 26 ◯ 35 = 47

84 ◯ 49 ◯ 57 = 92

72 ◯ 53 ◯ 47 = 66

96 ◯ 18 ◯ 39 = 39

3 바구니에 귤 36개가 들어 있었습니다. 그중에 17개를 먹고 55개를 더 넣었습니다. 바구니 안에 들어 있는 귤은 모두 몇 개일까요?

 ______________________   __________ 개

4 계산 결과에 맞게 길을 그리세요.

5 공원에 비둘기 36마리가 있고, 참새는 비둘기보다 19마리 더 많습니다. 공원에 있는 참새와 비둘기는 모두 몇 마리일까요?

식 ☐ + ☐ + ☐ = ☐ 답 ☐ 마리

6 빈칸에 알맞은 수를 쓰세요.

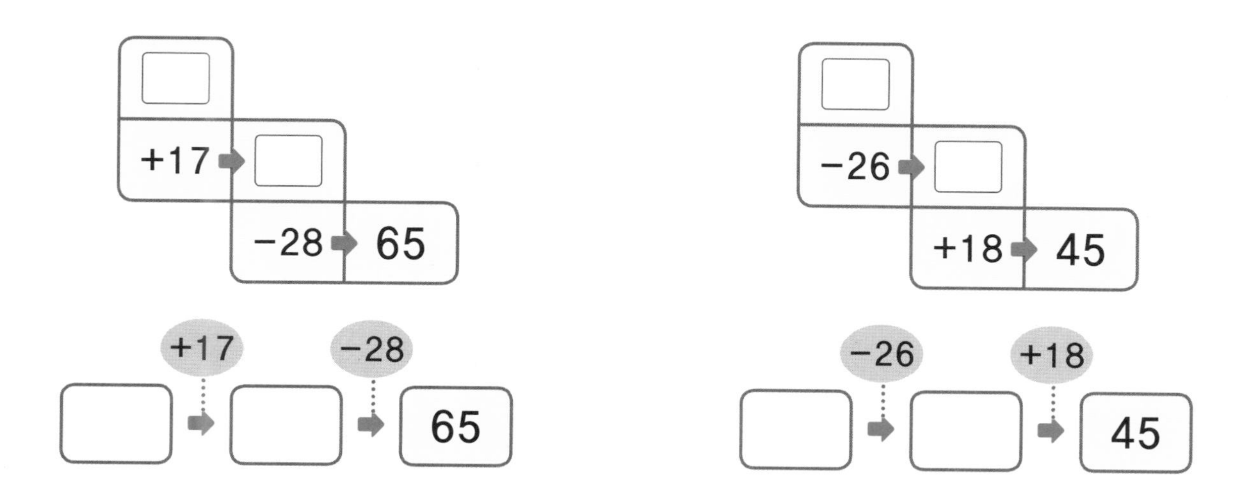

7 과일 가게에 사과가 몇 개 있었습니다. 어제 24개를 팔았고, 오늘 38개를 팔았더니 19개가 남았습니다. 처음에 과일 가게에 있던 사과는 몇 개였을까요?

식 ______________________ 답 ________ 개

8 □ 안의 값을 구하는 식을 찾아 ○표 하고, □ 안에 알맞은 수를 쓰세요.

$71 - \square - 15 = 27$

| | |
|---|---|
| $71 + 15 + 27$ | $71 + 15 - 27$ |
| $71 - 15 + 27$ | $71 - 15 - 27$ |

9 86과 38의 차에 어떤 수를 더했더니 72가 되었습니다. 어떤 수를 □라 하여 식을 세우고 □의 값을 구하세요.

식 ______________________ □= ________

상위권으로 가는 문제 해결 연산 학습지

A4
초1~초2

받아올림, 받아내림이 있는
두 자리 수의 덧셈과 뺄셈

받아올림, 받아내림이 있는 두 자리 수의 덧셈과 뺄셈

초1 ~ 초2

# 정답 및 길잡이

# 덧셈과 뺄셈

## 6·7쪽

1일 177 두 자리 수의 덧셈

개념원리 덧셈을 해 봅시다.

27+36= 57 + 6 = 63 (30, 6)
36을 30+6으로 생각하여 27에 30을 더한 후 6을 더합니다.

27+36= 50 + 13 = 63 (20+30, 7+6)
27을 20+7, 36을 30+6으로 생각하여 20과 30의 합에 7과 6의 합을 더합니다.

25+28= 45 + 8 = 53 (20, 8)
25+28= 40 + 13 = 53 (20+20, 5+8)

49+15= 59 + 5 = 64 (10, 5)
49+15= 50 + 14 = 64 (40+10, 9+5)

38+54= 88 + 4 = 92 (50, 4)
38+54= 80 + 12 = 92

67+26= 87 + 6 = 93 (20, 6)
67+26= 80 + 13 = 93

19+36= 55 (30, 6)
47+35= 82 (30, 5)
58+19= 77 (10, 9)

25+18= 43
34+38= 72
15+69= 84

37+28=65
22+29=51
16+76=92

27+27=54
25+19=44
18+17=35

46+29=75
39+23=62
56+25=81

29+34=63
39+17=56
28+59=87

6 응용연산 A4 / 1주: 덧셈과 뺄셈 7

## 8·9쪽

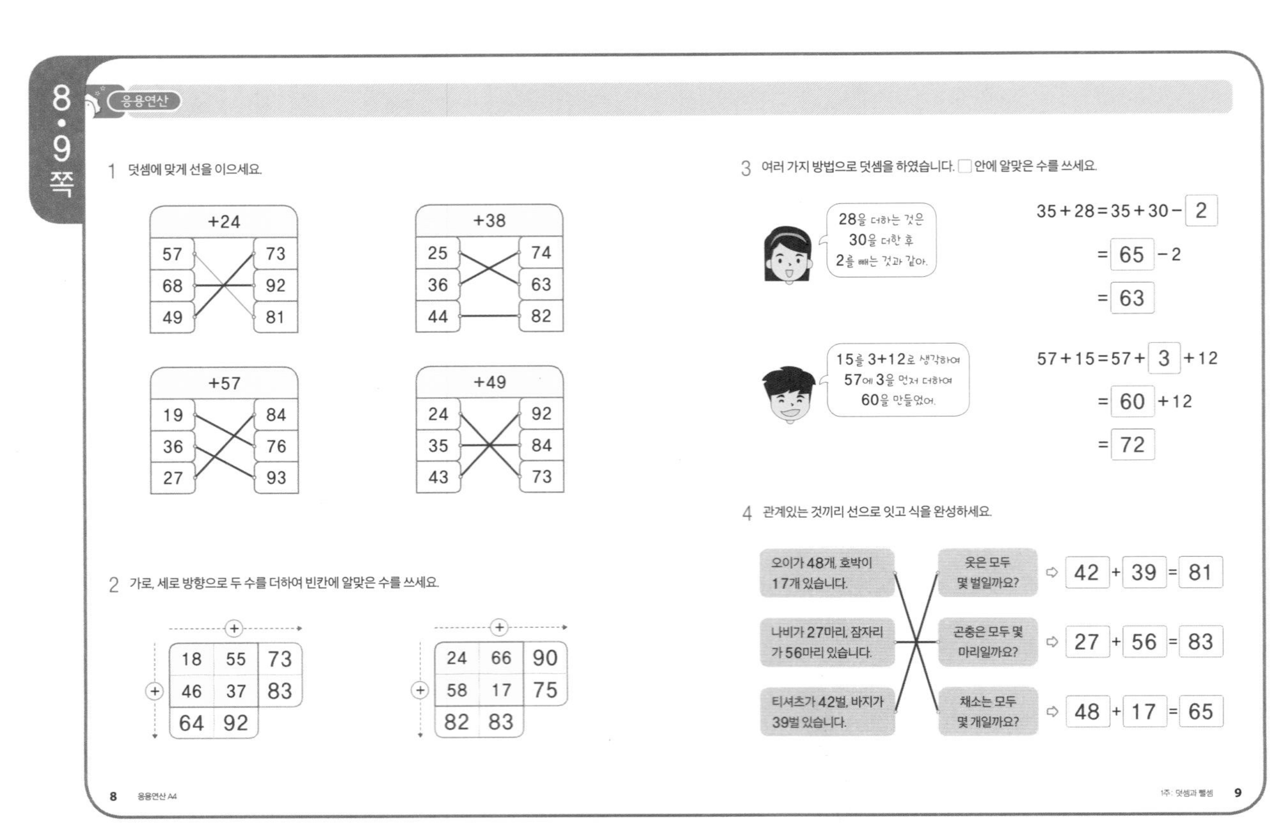
응용연산

1 덧셈에 맞게 선을 이으세요.

+24: 57–81, 68–92, 49–73
+38: 25–63, 36–74, 44–82
+57: 19–76, 36–93, 27–84
+49: 24–73, 35–84, 43–92

2 가로, 세로 방향으로 두 수를 더하여 빈칸에 알맞은 수를 쓰세요.

| 18 | 55 | 73 |
|---|---|---|
| 46 | 37 | 83 |
| 64 | 92 | |

| 24 | 66 | 90 |
|---|---|---|
| 58 | 17 | 75 |
| 82 | 83 | |

3 여러 가지 방법으로 덧셈을 하였습니다. □ 안에 알맞은 수를 쓰세요.

28을 더하는 것은 30을 더한 후 2를 빼는 것과 같아.
15를 3+12로 생각하여 57에 3을 먼저 더하여 60을 만들었어.



35+28=35+30− 2
= 65 −2
= 63

57+15=57+ 3 +12
= 60 +12
= 72

4 관계있는 것끼리 선으로 잇고 식을 완성하세요.

오이가 48개, 호박이 17개 있습니다. — 채소는 모두 몇 개일까요? ⇨ 48 + 17 = 65
나비가 27마리, 잠자리가 56마리 있습니다. — 곤충은 모두 몇 마리일까요? ⇨ 27 + 56 = 83
티셔츠가 42벌, 바지가 39벌 있습니다. — 옷은 모두 몇 벌일까요? ⇨ 42 + 39 = 81

8 응용연산 A4 / 1주: 덧셈과 뺄셈 9

## 10·11쪽

2일 178 **세로셈으로 덧셈하기**

개념원리: 세로 방식으로 덧셈을 해 봅시다.

$\begin{array}{r} 57 \\ +\ 76 \\ \hline \end{array}$ ➡ $\begin{array}{r} \scriptsize{1}\ \ \\ 57 \\ +\ 76 \\ \hline 3 \end{array}$ ➡ $\begin{array}{r} \scriptsize{1}\ \ \\ 57 \\ +\ 76 \\ \hline 133 \end{array}$

같은 자리 숫자끼리의 합이 10이거나 10보다 크면 받아올려서 계산합니다.

$48 + 35 = 83$ (받아올림 1) $52 + 19 = 71$ (받아올림 1) $24 + 68 = 92$ (받아올림 1)

$35 + 83 = 118$ $71 + 64 = 135$ $82 + 87 = 169$

$78 + 43 = 121$ (받아올림 1) $53 + 87 = 140$ (받아올림 1) $56 + 57 = 113$ (받아올림 1)

$27 + 34 = 61$ $36 + 81 = 117$ $75 + 57 = 132$

$38 + 49 = 87$ $73 + 86 = 159$ $87 + 35 = 122$

$14 + 56 = 70$ $92 + 44 = 136$ $46 + 88 = 134$

$35 + 17 = 52$ $41 + 64 = 105$ $59 + 94 = 153$

$49 + 42 = 91$ $64 + 63 = 127$ $63 + 48 = 111$




## 12·13쪽

응용연산

1 □ 안에 알맞은 수를 쓰세요.

$44 + 27 = 71$ $38 + 56 = 94$ $65 + 15 = 80$

$88 + 51 = 139$ $96 + 35 = 131$ $34 + 68 = 102$

2 주어진 수를 한 번씩 사용하여 덧셈식을 완성하세요.

4 2 3: $44 + 38 = 82$

5 3 6: $15 + 68 = 83$

9 3 6: $31 + 29 = 60$

3 주어진 수를 한 번씩 사용하여 덧셈식을 완성하세요.

$59 + 68 = 127$ (6 9 7 1)

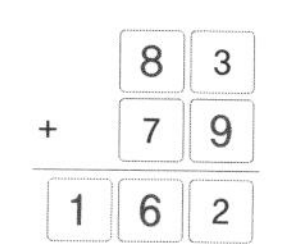

$83 + 79 = 162$ (1 6 9 8)

4 미호네 반 학급문고에는 동화책이 67권, 위인전이 48권 있습니다. 학급문고에 있는 동화책과 위인전은 모두 몇 권일까요?

식 $67 + 48 = 115$

답 115 권

5 어린이가 동백 마을에는 59명, 백합 마을에는 45명 살고 있습니다. 두 마을에 살고 있는 어린이는 모두 몇 명일까요?

식 $59 + 45 = 104$

답 104 명

14·15쪽

3일 179 **두 자리 수의 뺄셈**

개념원리 뺄셈을 해 봅시다.

81 − 67 = 20 − 6 = 14 (−61 −6)
81에서 61을 뺀 후 6을 뺍니다.

81 − 67 = 11 + 3 = 14 (−70 +3)
67을 빼는 것은 70을 빼고 3을 더한 것과 같습니다.

65 − 29 = 40 − 4 = 36 (−25 −4)　　65 − 29 = 35 + 1 = 36 (−30 +1)

96 − 48 = 50 − 2 = 48 (−46 −2)　　96 − 48 = 46 + 2 = 48 (−50 +2)

75 − 57 = 20 − 2 = 18 (−55 −2)　　75 − 57 = 15 + 3 = 18 (−60 +3)

83 − 16 = 70 − 3 = 67 (−13 −3)　　83 − 16 = 63 + 4 = 67 (−20 +4)

87 − 59 = 28 (−57 −2)　　83 − 38 = 45 (−33 −5)　　46 − 17 = 29 (−16 −1)

73 − 28 = 45 (−30 +2)　　65 − 39 = 26 (−40 +1)　　92 − 48 = 44 (−50 +2)

42 − 19 = 23　　84 − 67 = 17　　53 − 26 = 27

71 − 47 = 24　　92 − 54 = 38　　40 − 19 = 21

88 − 39 = 49　　64 − 28 = 36　　57 − 39 = 18

92 − 46 = 46　　72 − 17 = 55　　95 − 16 = 79

14 응용연산 A4　　1주: 덧셈과 뺄셈 15

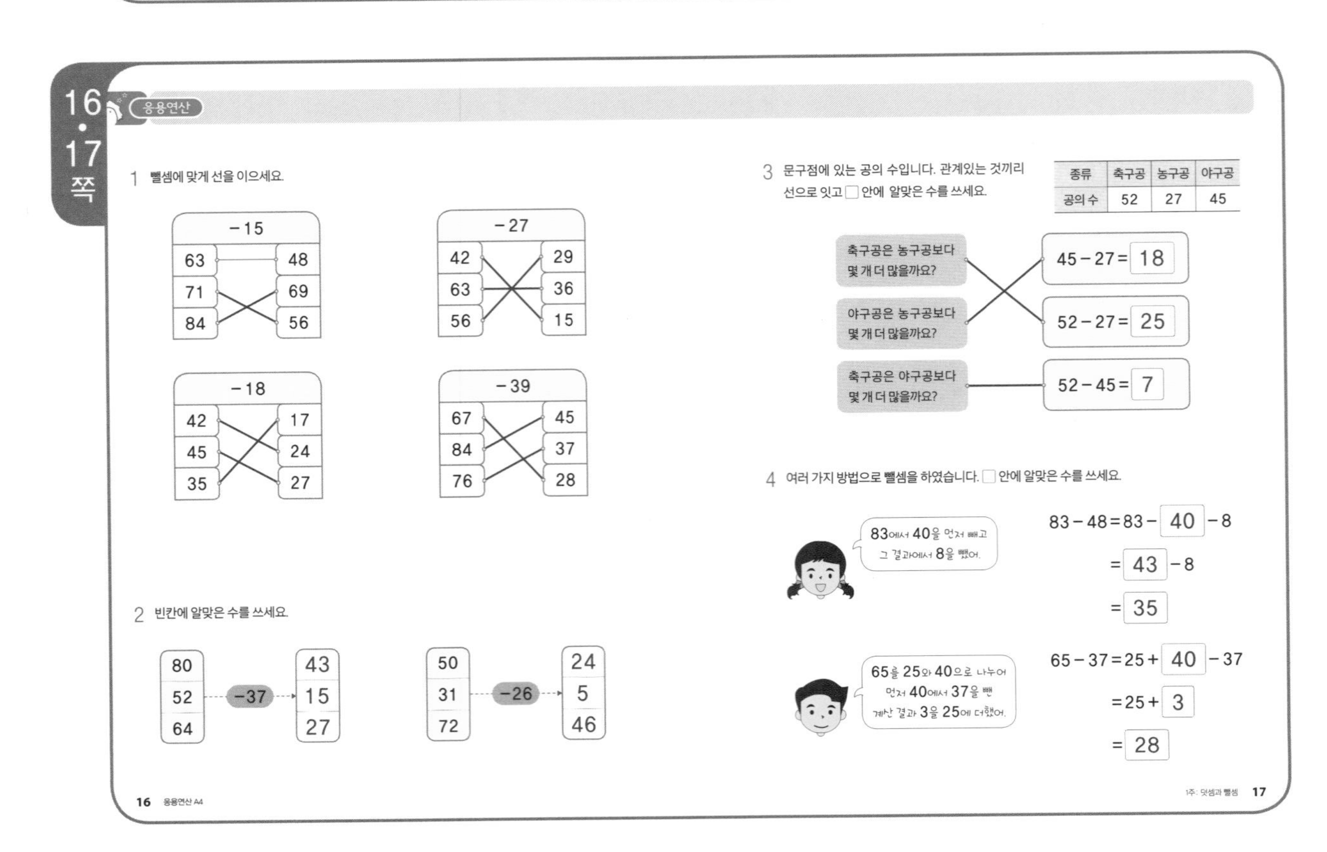
16·17쪽

응용연산

1 뺄셈에 맞게 선을 이으세요.

−15: 63 — 48, 71 — 56, 84 — 69

−27: 42 — 15, 63 — 36, 56 — 29

−18: 42 — 24, 45 — 27, 35 — 17

−39: 67 — 28, 84 — 45, 76 — 37

2 빈칸에 알맞은 수를 쓰세요.

80, 52, 64 → −37 → 43, 15, 27

50, 31, 72 → −26 → 24, 5, 46

3 문구점에 있는 공의 수입니다. 관계있는 것끼리 선으로 잇고 □ 안에 알맞은 수를 쓰세요.

| 종류 | 축구공 | 농구공 | 야구공 |
|---|---|---|---|
| 공의 수 | 52 | 27 | 45 |

축구공은 농구공보다 몇 개 더 많을까요? — 52 − 27 = 25

야구공은 농구공보다 몇 개 더 많을까요? — 45 − 27 = 18

축구공은 야구공보다 몇 개 더 많을까요? — 52 − 45 = 7

4 여러 가지 방법으로 뺄셈을 하였습니다. □ 안에 알맞은 수를 쓰세요.

83에서 40을 먼저 빼고 그 결과에서 8을 뺐어.

83 − 48 = 83 − 40 − 8
= 43 − 8
= 35

65를 25와 40으로 나누어 먼저 40에서 37을 뺀 계산 결과 3을 25에 더했어.

65 − 37 = 25 + 40 − 37
= 25 + 3
= 28

16 응용연산 A4　　1주: 덧셈과 뺄셈 17

## 18 · 19쪽

4일 180 세로셈으로 뺄셈하기

개념 원리: 세로 방식으로 뺄셈을 해 봅시다.

$173 - 46$ ➡ (6 10) $1\,\not{7}\,3 - 46$ ➡ (6 10) $1\,\not{7}\,3 - 46 = 7$ ➡ (6 10) $1\,\not{7}\,3 - 46 = 127$

일의 자리 숫자끼리 뺄셈을 할 수 없으면 십의 자리에서 10을 받아내려서 계산합니다.

- (5 10) $85 - 28 = 37$
- (7 10) $82 - 35 = 47$
- (6 10) $70 - 16 = 54$
- (3 10) $142 - 23 = 119$
- (2 10) $134 - 29 = 105$
- (4 10) $151 - 25 = 126$
- (4 10) $154 - 68 = 86$
- (2 10) $136 - 37 = 99$
- (0 10) $113 - 85 = 28$



- $71 - 37 = 34$
- $60 - 29 = 31$
- $73 - 45 = 28$
- $66 - 18 = 48$
- $92 - 77 = 15$
- $85 - 26 = 59$
- $178 - 82 = 96$
- $139 - 78 = 61$
- $147 - 95 = 52$
- $142 - 58 = 84$
- $152 - 94 = 58$
- $161 - 88 = 73$
- $113 - 76 = 37$
- $124 - 59 = 65$
- $146 - 67 = 79$



## 20 · 21쪽

응용연산

1 □ 안에 알맞은 수를 쓰세요.

- $82 - \boxed{6}7 = 1\boxed{5}$
- $\boxed{6}3 - 1\boxed{8} = 45$
- $8\boxed{1} - \boxed{4}7 = 34$
- $\boxed{1}34 - \boxed{5}8 = 7\boxed{6}$
- $\boxed{1}2\boxed{1} - \boxed{4}8 = 73$
- $\boxed{1}\boxed{3}4 - 6\boxed{5} = 69$

2 주어진 수를 한 번씩 사용하여 뺄셈식을 완성하세요.

- [4 7 8] $73 - 28 = 45$
- [5 6 8] $95 - 67 = 28$
- [1 3 7] $57 - 19 = 38$ 또는 $57 - 39 = 18$



3 주어진 수를 한 번씩 사용하여 뺄셈식을 완성하세요.

- [1 6 7 8] $126 - 89 = 37$
- [1 2 3 6] $124 - 86 = 38$

4 공원에 비둘기 81마리가 있었습니다. 잠시 후에 27마리가 날아갔습니다. 공원에 남아 있는 비둘기는 몇 마리일까요?

식 $81 - 27 = 54$ 답 54 마리

5 영호네 학교 학생은 158명입니다. 그중에서 남학생은 79명입니다. 여학생은 몇 명일까요?

식 $158 - 79 = 79$ 답 79 명

## 22·23쪽

5일 형성평가

1 덧셈에 맞게 선을 이으세요.

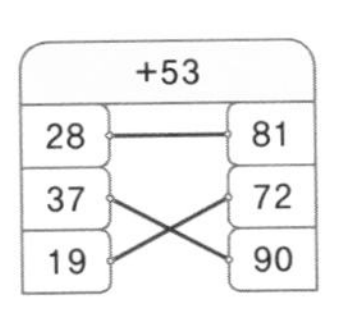


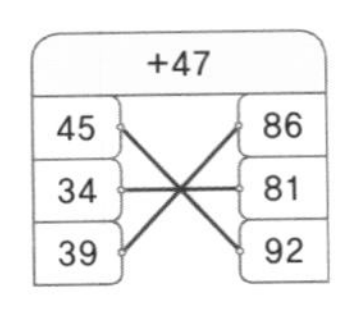


2 □ 안에 알맞은 수를 쓰세요.

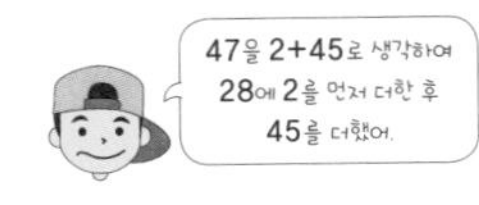

47을 2+45로 생각하여 28에 2를 먼저 더한 후 45를 더했어.


$28+47=28+\boxed{2}+45$

$=\boxed{30}+45$

$=\boxed{75}$

3 주어진 수를 한 번씩 사용하여 덧셈식을 완성하세요.

$47 + 59 = 106$

4 재영이네 과일 가게에서 어제는 사과가 68개 팔렸고, 오늘은 귤이 57개 팔렸습니다. 어제, 오늘 팔린 과일은 모두 몇 개일까요?

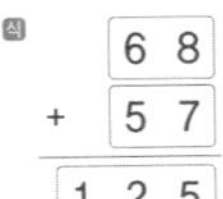


답 125 개

5 빈칸에 알맞은 수를 쓰세요.

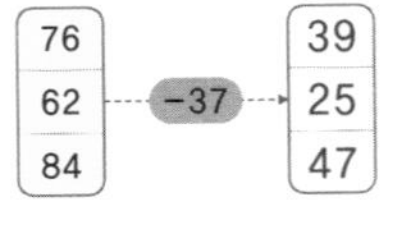


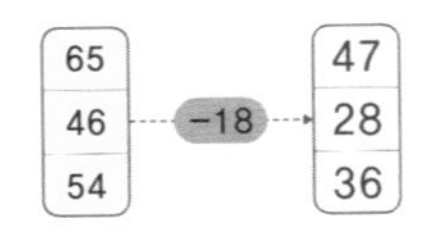


6 □ 안에 알맞은 수를 쓰세요.

72에서 50을 먼저 빼고 그 결과에서 6을 뺐어.


$72-56=72-\boxed{50}-6$

$=\boxed{22}-6$

$=\boxed{16}$





## 24쪽

7 □ 안에 알맞은 수를 쓰세요.

$183 - 86 = 97$

$124 - 57 = 67$

8 주어진 수를 한 번씩 사용하여 뺄셈식을 완성하세요.

1, 4, 8, 3

$123 - 45 = 78$

9 도서관에 동화책과 위인전이 모두 164권 있습니다. 동화책이 89권 있다면 위인전은 몇 권 있을까요?

식 $164 - 89 = 75$

답 75 권

# 덧셈과 뺄셈의 관계

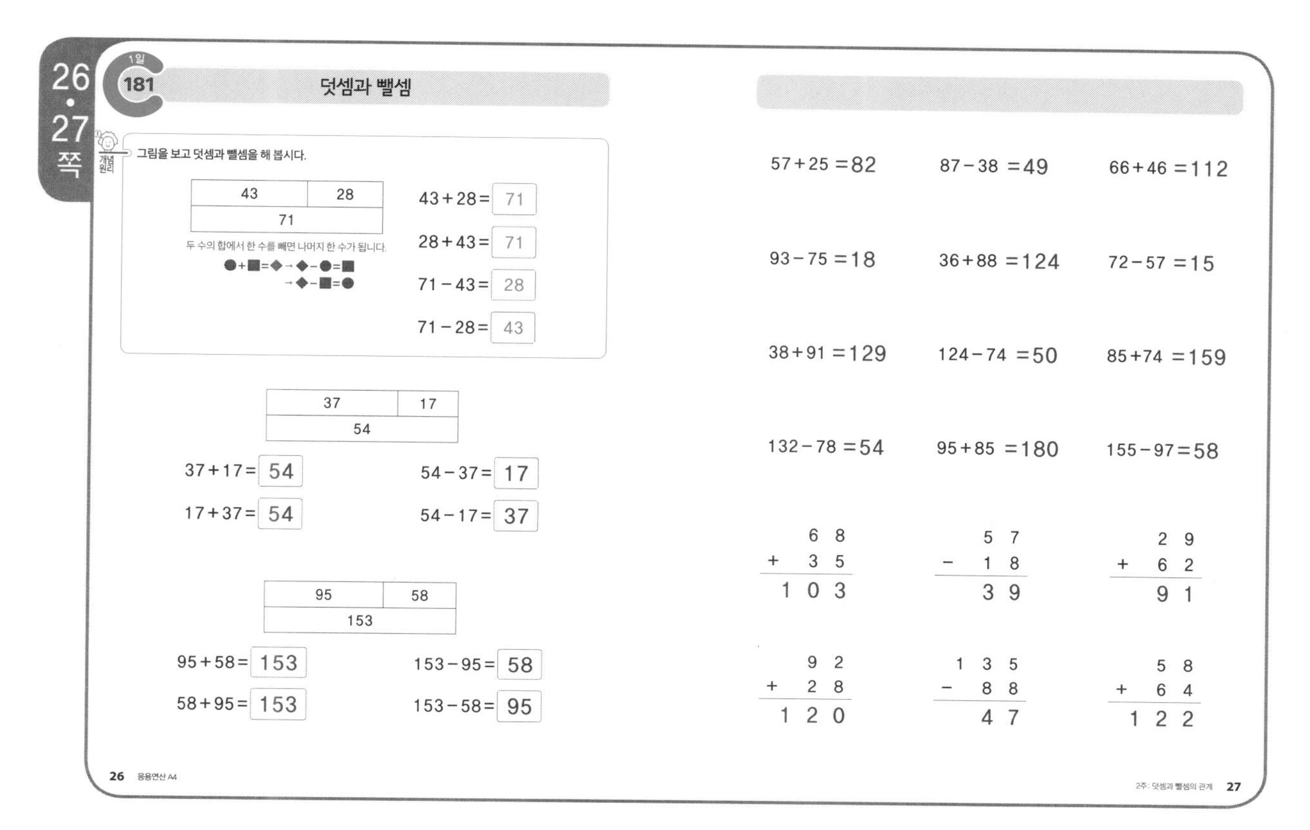

26·27쪽

1일 181 덧셈과 뺄셈

개념원리 그림을 보고 덧셈과 뺄셈을 해 봅시다.

| 43 | 28 |
| --- | --- |
| 71 | |

두 수의 합에서 한 수를 빼면 나머지 한 수가 됩니다.

●+■=◆ → ◆−●=■ → ◆−■=●

43+28= 71
28+43= 71
71−43= 28
71−28= 43

| 37 | 17 |
| --- | --- |
| 54 | |

37+17= 54 54−37= 17
17+37= 54 54−17= 37

| 95 | 58 |
| --- | --- |
| 153 | |

95+58= 153 153−95= 58
58+95= 153 153−58= 95

57+25 =82 87−38 =49 66+46 =112
93−75 =18 36+88 =124 72−57 =15
38+91 =129 124−74 =50 85+74 =159
132−78 =54 95+85 =180 155−97=58

68+35=103 57−18=39 29+62=91
92+28=120 135−88=47 58+64=122

26 응용연산 A4 2주: 덧셈과 뺄셈의 관계 27

28·29쪽

응용연산

1 가로 방향으로 덧셈, 세로 방향으로 뺄셈을 하여 빈칸에 쓰세요.

| 86 | 65 | 151 |
| --- | --- | --- |
| 29 | 37 | 66 |
| 57 | 28 | |

| 74 | 88 | 162 |
| --- | --- | --- |
| 57 | 39 | 96 |
| 17 | 49 | |

2 이웃한 세 수를 묶은 다음, 가로 또는 세로 방향으로 + 또는 −와 =를 넣어 덧셈식과 뺄셈식 3개를 만드세요.

| 38 + 67 = 105 | | | 46 |
| --- | --- | --- | --- |
| 112 | 34 | 68 | 94 − |
| 48 + 52 = 100 | | | 37 = |
| 63 | 35 | 88 | 57 |

| 76 + | 27 | 113 | 68 |
| --- | --- | --- | --- |
| 26 = | 94 − 47 = 47 | | |
| 102 | 131 | 76 | 65 |
| 83 | 42 + 39 = 81 | | |

| 78 + | 11 | 96 − | 134 |
| --- | --- | --- | --- |
| 64 = | 47 | 39 = | 16 |
| 142 | 75 | 57 | 122 |
| 98 | 63 + 29 = 92 | | |

| 154 − 76 = 78 | | | 86 |
| --- | --- | --- | --- |
| 89 | 69 + | 115 | 75 − |
| 55 | 63 = | 28 | 17 = |
| 74 | 132 | 97 | 58 |

3 주어진 수를 이용하여 덧셈식 2개와 뺄셈식 2개를 만드세요.

(83) (47) (36)

47 + 36 = 83
36 + 47 = 83
83 − 47 = 36
83 − 36 = 47

4 민호, 지영, 슬기의 대화를 보고 물음에 맞는 식과 답을 쓰세요.

민호: 나는 구슬을 47개 가지고 있어.
지영: 나는 민호가 가진 것보다 18개 더 적어.
슬기: 나는 지영이가 가진 것보다 27개 더 많아.

지영이가 가지고 있는 구슬은 몇 개일까요?

식 47−18=29 답 29 개

슬기가 가지고 있는 구슬은 몇 개일까요?

식 29+27=56 답 56 개

지영이와 슬기가 가지고 있는 구슬은 모두 몇 개일까요?

식 29+56=85 답 85 개

28 응용연산 A4 2주: 덧셈과 뺄셈의 관계 29

30·31쪽

## 182 합이 되는 두 수

상자 속 공 2개의 수를 뽑아 덧셈식을 완성하여 봅시다.

47 + 64 =111

38 + 57 =95

62 + 39 =101

48 + 74 =122

83 + 36 =119

26 + 64 =90

93 + 57 =150

16 + 65 =81

43 + 78 =121

56 + 29 =85

더하는 두 수의 순서는 서로 바뀔 수 있습니다.

55 47 68 39

39 + 47 =86

39 + 68 =107

55 + 68 =123

55 + 47 =102

26 95 74 19

19 + 95 =114

19 + 74 =93

26 + 74 =100

26 + 95 =121

87 25 49 56

25 + 56 =81

25 + 87 =112

49 + 56 =105

49 + 87 =136

69 42 58 74

42 + 58 =100

42 + 69 =111

58 + 69 =127

58 + 74 =132

더하는 두 수의 순서는 서로 바뀔 수 있습니다.





32·33쪽

## 응용연산

1 합에 맞게 두 수를 선으로 이으세요.

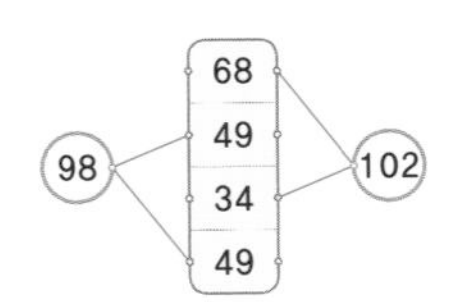


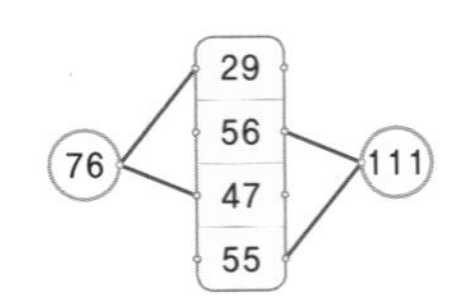


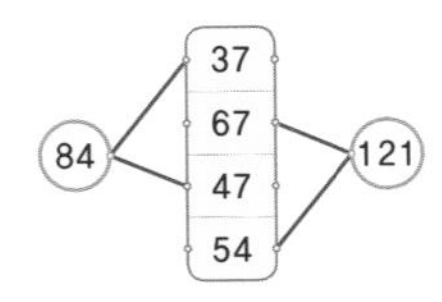


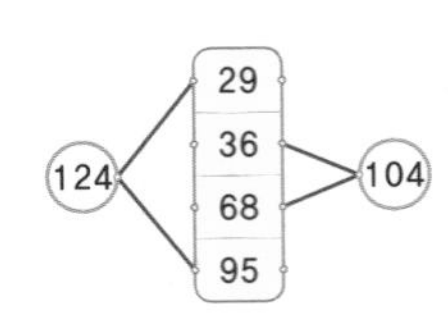


2 가로, 세로로 두 수의 합에 맞게 상자 안의 수를 빈칸에 쓰세요.

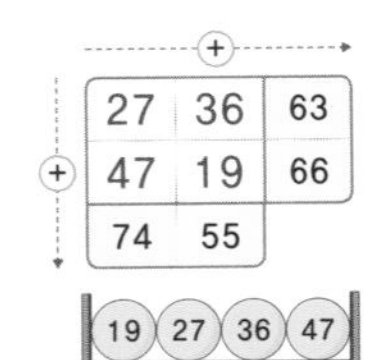

27 36 63
47 19 66
74 55
19 27 36 47


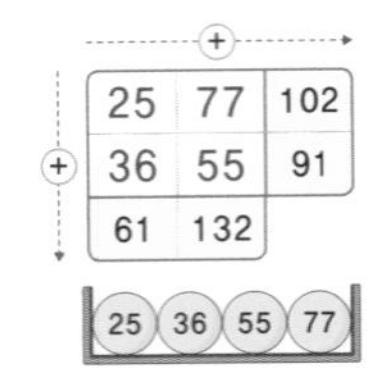


3 선아, 희수, 진호, 재영이가 가지고 있는 카드의 수입니다.

| 이름 | 선아 | 희수 | 진호 | 재영 |
|---|---|---|---|---|
| 카드의 수(장) | 34 | 57 | 66 | 89 |

두 사람이 가진 카드를 모았더니 100장입니다. 누구와 누구의 카드를 모은 것일까요?

식 34 + 66 =100 답 선아 와 진호

4 풍선 터뜨리기 놀이를 하려고 합니다. 터뜨린 풍선 2개에 적힌 수의 합에 따라 받을 수 있는 상품이 다릅니다.

두 수의 합이 130보다 크면 동화책을 받습니다. 동화책을 받기 위해 터뜨려야 할 풍선에 쓰인 수를 쓰세요.

64 , 69

두 수의 합이 100보다 크고 110보다 작으면 인형을 받습니다. 인형을 받는 경우는 모두 몇 가지일까요?

64+38=102, 69+38=107 2 가지

34·35쪽

3일 183 차가 되는 두 수

개념원리 상자 속 공 2개의 수를 뽑아 뺄셈식을 완성하여 봅시다.

121 - 94 = 27
72 - 34 = 38

84, 102, 65, 48
102 - 48 = 54
84 - 65 = 19

91, 26, 83, 19
91 - 19 = 72
83 - 26 = 57

115, 36, 88, 29
115 - 36 = 79
88 - 29 = 59

52, 123, 64, 25
123 - 52 = 71
64 - 25 = 39

84 17 73 24
84 - 17 = 67
84 - 24 = 60
73 - 17 = 56
73 - 24 = 49

103 28 46 74
103 - 28 = 75
103 - 46 = 57
74 - 28 = 46
74 - 46 = 28

85 115 47 18
115 - 47 = 68
115 - 18 = 97
85 - 18 = 67
85 - 47 = 38

29 96 35 124
124 - 35 = 89
124 - 29 = 95
96 - 29 = 67
96 - 35 = 61




36·37쪽

응용연산

1 ● 안의 수가 차가 되는 두 수를 찾아 색칠하고 뺄셈식을 완성하세요.

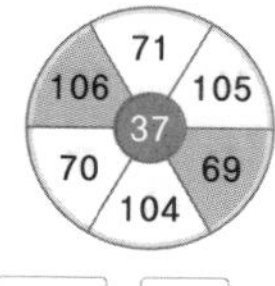

106 - 69 = 37

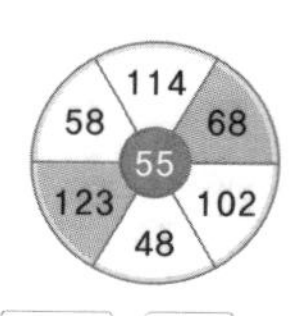

123 - 68 = 55

2 상자 안의 두 수를 뽑아 차를 구할 때 차가 되는 수에 모두 ○표 하세요.

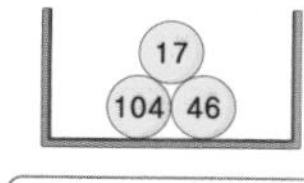

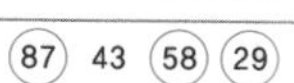

(87) 43 (58) (29)

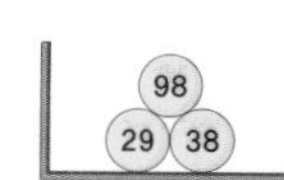

(69) (60) 59 (9)

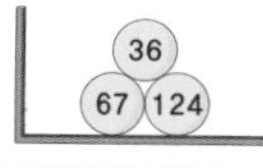

(88) (31) 78 (57)

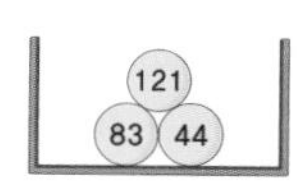

33 (77) (39) (38)

3 □안에 같은 수가 들어갑니다. 알맞은 수를 쓰세요.

66 - 27 = 105 - 66

28 - 14 = 42 - 28

41 - 30 = 30 - 19

35 - 26 = 26 - 17

4 진호와 민주가 수가 적힌 풍선을 2개씩 터뜨렸습니다. 물음에 답하세요.

진호가 터뜨린 풍선에 적힌 두 수의 차는 27입니다. 진호가 터뜨린 풍선에 ○표 하세요.

( 75, (57), (84), 49 )

민주가 터뜨린 풍선에 적힌 두 수의 차는 얼마일까요? 75-49= 26

38 · 39 쪽

4일 184

## 합과 차

개념 원리

두 수의 합과 차를 구하고, 구한 합과 차의 차를 구해 봅시다.

46 27 → 7 3 ← 합: 46+27
− 1 9 ← 차: 46−27
27+27 → 5 4 ← (합)−(차)

두 수의 합에서 두 수의 차를 빼면 작은 수를 두 번 더한 값이 됩니다.

63 45: 1 0 8 ←합, − 1 8 ←차, 45+45 → 9 0 ←(합)−(차)

81 18: 9 9 ←합, − 6 3 ←차, 18+18 → 3 6 ←(합)−(차)

76 28: 1 0 4 ←합, − 4 8 ←차, 28+28 → 5 6 ←(합)−(차)

54 26: 8 0 ←합, − 2 8 ←차, 26+26 → 5 2 ←(합)−(차)

92 39: 1 3 1 ←합, − 5 3 ←차, 39+39 → 7 8 ←(합)−(차)

67 24: 9 1 ←합, − 4 3 ←차, 24+24 → 4 8 ←(합)−(차)

| 합 | 74 | (29) | 54 |
|---|---|---|---|
| 차 | 16 | 36 | (45) |

| 합 | 92 | 22 | (58) |
|---|---|---|---|
| 차 | 24 | (34) | 67 |

| 합 | 64 | 49 | (41) |
|---|---|---|---|
| 차 | 18 | 33 | (23) |

| 합 | 76 | (37) | 36 |
|---|---|---|---|
| 차 | 2 | (39) | 35 |

| 합 | 102 | (85) | 75 |
|---|---|---|---|
| 차 | 68 | 27 | (17) |

| 합 | 95 | 29 | (57) |
|---|---|---|---|
| 차 | 19 | (38) | 30 |

| 합 | 88 | 29 | (69) |
|---|---|---|---|
| 차 | 50 | (19) | 59 |

| 합 | 81 | 74 | (63) |
|---|---|---|---|
| 차 | 45 | 28 | (18) |

| 합 | 84 | (57) | 67 |
|---|---|---|---|
| 차 | 30 | 37 | (27) |




40 · 41 쪽

## 응용연산

1 합과 차를 알 때 두 수를 구하는 과정입니다. □ 안에 알맞은 수를 쓰세요.

합 85, 차 29
(합)−(차) 85 − 29 = 56
작은 수 28 ← 반
큰 수 57 (합)−(작은 수)

합 53, 차 15
(합)−(차) 53 − 15 = 38
작은 수 19 ← 반
큰 수 34 (합)−(작은 수)

합 62, 차 28
(합)−(차) 62 − 28 = 34
작은 수 17 ← 반
큰 수 45 (합)−(작은 수)

합 81, 차 39
(합)−(차) 81 − 39 = 42
작은 수 21 ← 반
큰 수 60 (합)−(작은 수)

2 같은 모양에는 같은 수가 들어갑니다. 빈 곳에 알맞은 수를 쓰세요.

(36) + [18] = 54
(36) − [18] = 18

☆44 + ♡29 = 73
☆44 − ♡29 = 15

3 같은 모양은 같은 수, 다른 모양은 다른 수를 나타냅니다. ♣과 ♠은 각각 얼마일까요?

♣ + ♠ = 61
♣ − ♠ = 7

♣ = 34
♠ = 27

4 기우 아버지와 어머니의 나이 합은 83이고, 나이 차는 7입니다. 아버지가 어머니보다 나이가 많다고 할 때 아버지의 나이는 몇 세일까요?

45 세

5 과일 가게에서 참외와 수박을 모두 91개 팔았는데, 참외를 수박보다 19개 더 팔았습니다. 물음에 답하세요.

판 참외와 수박 개수의 합과 차는 각각 얼마일까요?

합: 91, 차: 19

합과 차에 맞게 두 수를 구하세요.

두 수: 36, 55

참외와 수박은 각각 몇 개 팔았을까요?

참외: 55 개, 수박: 36 개

42·43쪽

5일 형성평가

1 가로 방향으로 덧셈, 세로 방향으로 뺄셈을 하여 빈칸에 쓰세요.

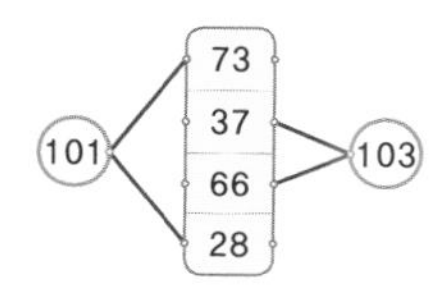


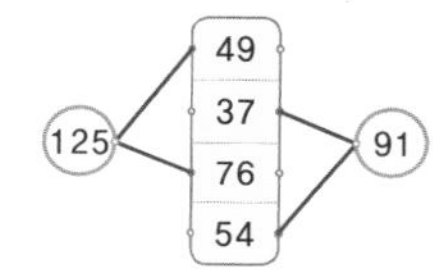


2 이웃한 세 수를 묶은 다음, 가로 또는 세로 방향으로 + 또는 −와 =를 넣어 덧셈식과 뺄셈식 3개를 만드세요.

| 48 + 44 = 92 | | | 107 |
|---|---|---|---|
| 67 | 56 | 79 | 39 |
| 35 | 18 | 26 | 68 |
| 92 | 38 | 115 | 46 |

3 합에 맞게 두 수를 선으로 이으세요.

4 민우, 혜영, 지수, 은지가 가지고 있는 사탕의 수입니다.

| 이름 | 민우 | 혜영 | 지수 | 은지 |
|---|---|---|---|---|
| 사탕의 수(개) | 65 | 37 | 84 | 46 |

두 사람이 가진 사탕을 모았더니 111개입니다. 누구와 누구의 사탕을 모은 것일까요?

5 상자 안의 두 수를 뽑아 차를 구할 때 차가 되는 수에 모두 ◯표 하세요.

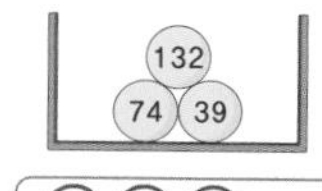


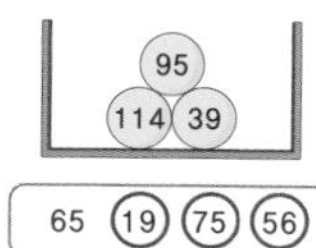


6 □ 안에 같은 수가 들어갑니다. 알맞은 수를 쓰세요.

72− 45 = 45 −18





44쪽

7 영우와 예은이가 수가 적힌 풍선을 2개씩 터뜨립니다. 물음에 답하세요.

62 18 27 91

영우가 터뜨린 풍선에 적힌 두 수의 차는 64입니다. 영우가 터뜨린 풍선에 ◯표 하세요.

(  ,  ,  )


예은이가 터뜨린 풍선에 적힌 두 수의 차는 얼마일까요? 62−18= 44

8 합과 차를 알 때 두 수를 구하는 과정입니다. □ 안에 알맞은 수를 쓰세요.

합 84, 차 26

(합)−(차) 84 − 26 = 58

작은 수 29 ← 반

큰 수 55 (합)−(작은 수)

# □가 있는 덧셈과 뺄셈

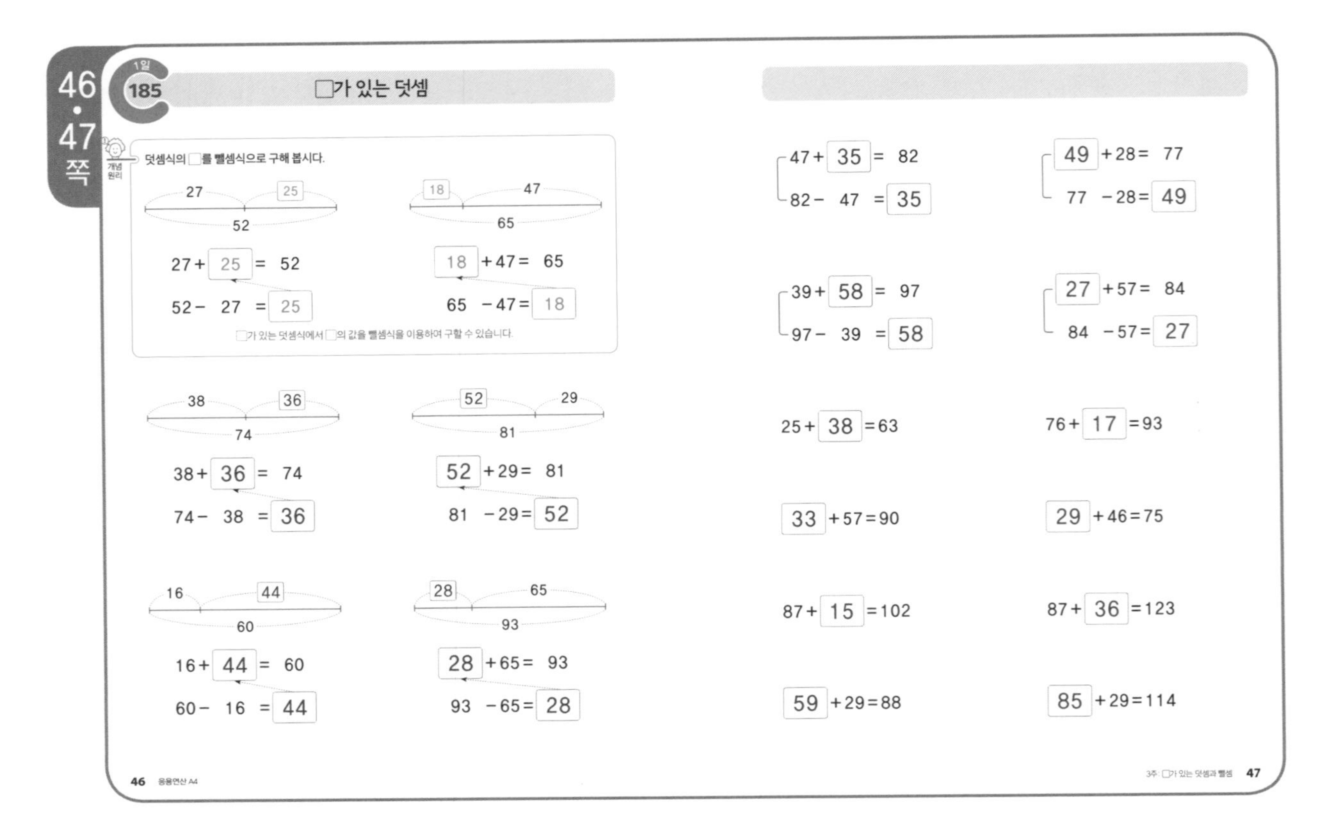

46·47쪽

185 □가 있는 덧셈

개념 원리 덧셈식의 □를 뺄셈식으로 구해 봅시다.

27+ 25 = 52
52− 27 = 25

18 +47= 65
65 −47= 18

□가 있는 덧셈식에서 □의 값을 뺄셈식을 이용하여 구할 수 있습니다.

38+ 36 = 74
74− 38 = 36

52 +29= 81
81 −29= 52

16+ 44 = 60
60− 16 = 44

28 +65= 93
93 −65= 28

47+ 35 = 82
82− 47 = 35

49 +28= 77
77 −28= 49

39+ 58 = 97
97− 39 = 58

27 +57= 84
84 −57= 27

25+ 38 =63

76+ 17 =93

33 +57=90

29 +46=75

87+ 15 =102

87+ 36 =123

59 +29=88

85 +29=114

46 응용연산 A4

3주: □가 있는 덧셈과 뺄셈 47

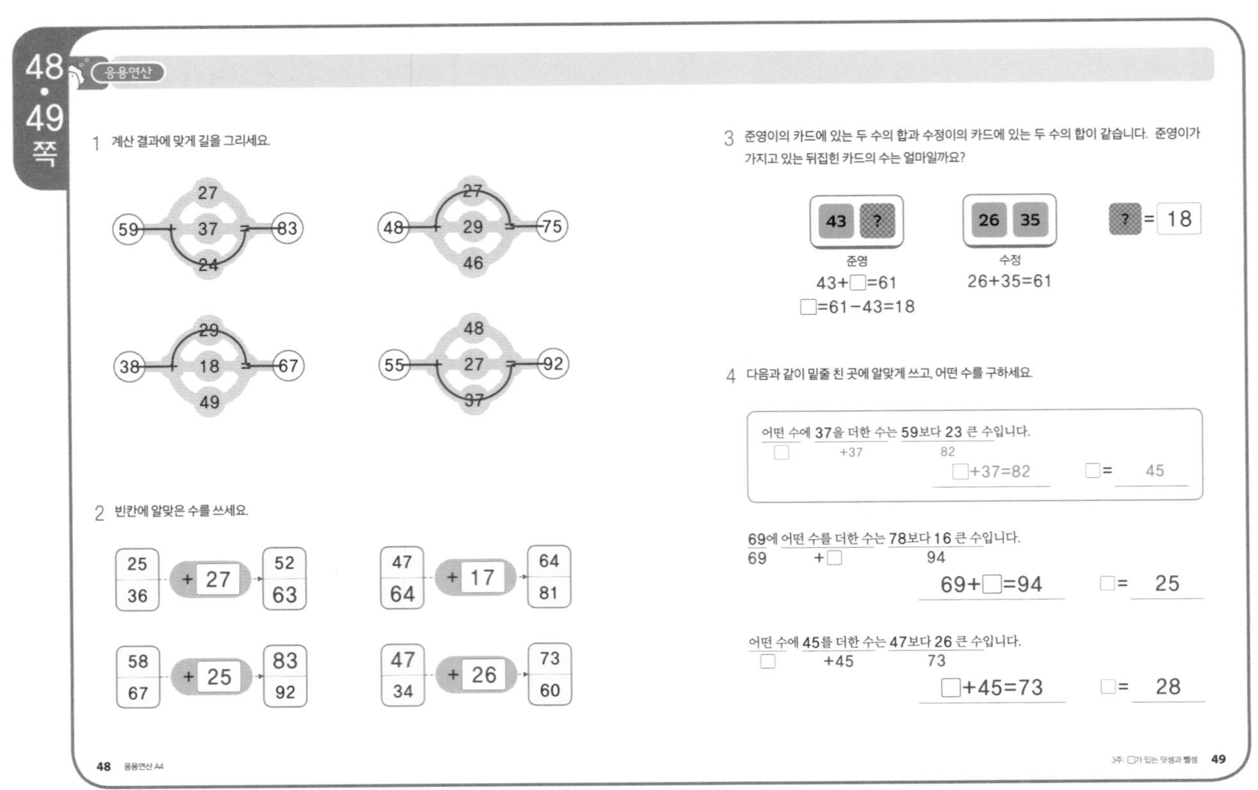

48·49쪽

응용연산

1 계산 결과에 맞게 길을 그리세요.

59 — 27 / 37 / 24 — 83

48 — 27 / 29 / 46 — 75

38 — 29 / 18 / 49 — 67

55 — 48 / 27 / 37 — 92

2 빈칸에 알맞은 수를 쓰세요.

25, 36 → + 27 → 52, 63

47, 64 → + 17 → 64, 81

58, 67 → + 25 → 83, 92

47, 34 → + 26 → 73, 60

3 준영이의 카드에 있는 두 수의 합과 수정이의 카드에 있는 두 수의 합이 같습니다. 준영이가 가지고 있는 뒤집힌 카드의 수는 얼마일까요?

43 ? 준영

26 35 수정

? = 18

43+□=61
□=61−43=18

26+35=61

4 다음과 같이 밑줄 친 곳에 알맞게 쓰고, 어떤 수를 구하세요.

어떤 수에 37을 더한 수는 59보다 23 큰 수입니다.
□ +37 82
□+37=82 □= 45

69에 어떤 수를 더한 수는 78보다 16 큰 수입니다.
69 +□ 94
69+□=94 □= 25

어떤 수에 45를 더한 수는 47보다 26 큰 수입니다.
□ +45 73
□+45=73 □= 28

48 응용연산 A4

3주: □가 있는 덧셈과 뺄셈 49

50·51쪽

2일 186

## □가 있는 뺄셈

개념원리 수직선을 이용하여 뺄셈식의 □의 값을 구해 봅시다.

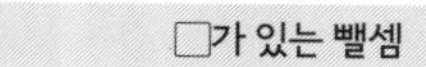

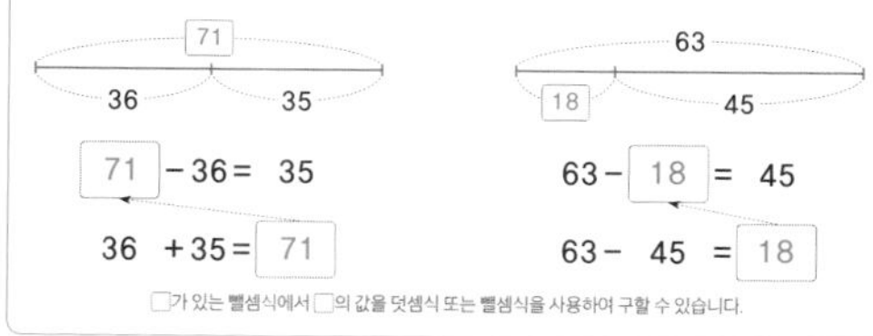

71 − 36 = 35 / 36 + 35 = 71

63 − 18 = 45 / 63 − 45 = 18

□가 있는 뺄셈식에서 □의 값을 덧셈식 또는 뺄셈식을 사용하여 구할 수 있습니다.

85 − 47 = 38 / 47 + 38 = 85

53 − 24 = 29 / 53 − 29 = 24

66 − 28 = 38 / 28 + 38 = 66

92 − 35 = 57 / 92 − 57 = 35

52 − 19 = 33 / 33 + 19 = 52

72 − 25 = 47 / 72 − 47 = 25

67 − 28 = 39 / 28 + 39 = 67

92 − 44 = 48 / 92 − 48 = 44

84 − 49 = 35　53 − 25 = 28　75 − 38 = 37

62 − 23 = 39　94 − 47 = 47　42 − 24 = 18

76 − 18 = 58　82 − 45 = 37　64 − 36 = 28

55 − 28 = 27　41 − 27 = 14　96 − 57 = 39





52·53쪽

응용연산

1 ○ 안에 알맞은 수를 쓰고 관계있는 것끼리 선으로 이으세요.

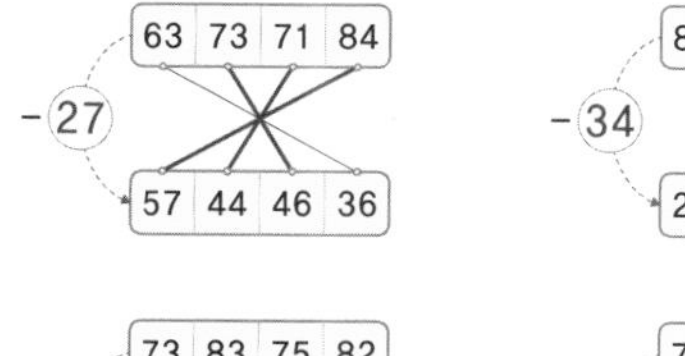

−27: 63 73 71 84 / 57 44 46 36

−34: 82 63 72 70 / 29 48 36 38

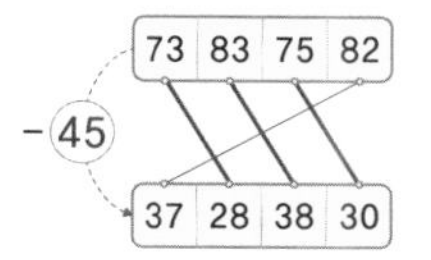

−45: 73 83 75 82 / 37 28 38 30

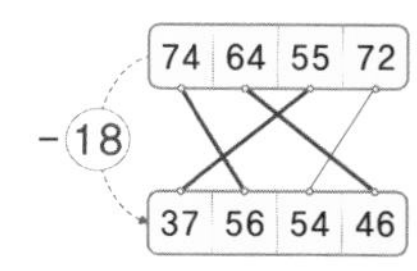

−18: 74 64 55 72 / 37 56 54 46

2 ○ 안에 알맞은 수를 찾고 뺄셈을 하여 빈칸을 채우세요.

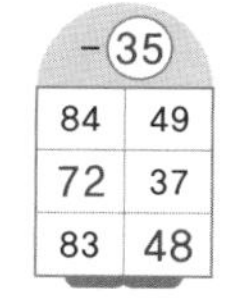

−35

| 84 | 49 |
|---|---|
| 72 | 37 |
| 83 | 48 |

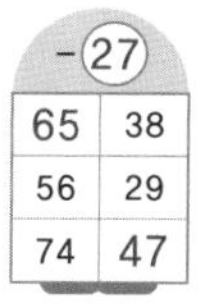

−27

| 65 | 38 |
|---|---|
| 56 | 29 |
| 74 | 47 |

−44

| 83 | 39 |
|---|---|
| 72 | 28 |
| 81 | 37 |

3 1부터 9까지의 수 중 □ 안에 들어갈 수 있는 수를 모두 쓰세요.

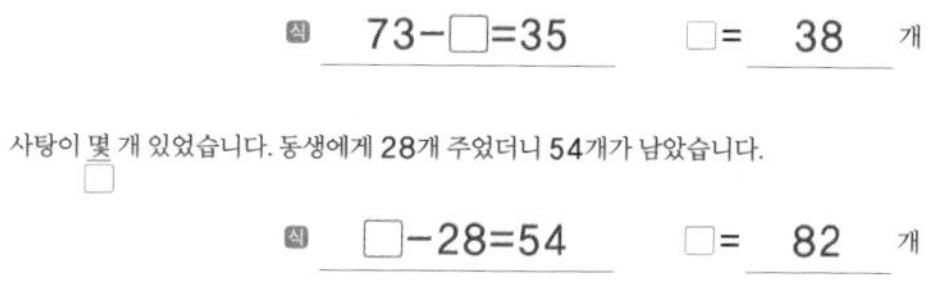

80 − 2□ < 54 → 7, 8, 9

92 − □7 > 59 → 1, 2

□4 − 38 > 37 → 8, 9

4 몇을 □라 하여 식을 세우고 □의 값을 구하세요.

자두가 73개 있었습니다. 몇 개 팔았더니 35개가 남았습니다.

식 73 − □ = 35　□ = 38 개

사탕이 몇 개 있었습니다. 동생에게 28개 주었더니 54개가 남았습니다.

식 □ − 28 = 54　□ = 82 개

## 54·55쪽

3일 187

### □가 있는 덧셈과 뺄셈

개념원리 □의 값을 구해 봅시다.

| 27 | □ |
|---|---|
| 41 | |

27 + □ = 41

□ = 41 − 27

□ = 14

| 54 | |
|---|---|
| □ | 16 |

54 − □ = 16

□ = 54 − 16

□ = 38

□ + 29 = 62

□ = 62 − 29 = 33

□ − 34 = 70

□ = 70 + 34 = 104

또는 34+70=104

57 + □ = 93

□ = 93 − 57 = 36

85 − □ = 28

□ = 85 − 28 = 57

□ + 55 = 102

□ = 102 − 55 = 47

□ − 76 = 29

□ = 29 + 76 = 105

또는 76+29=105

35 + □ = 62

□ = 62−35

= 27

63 − □ = 24

□ = 63−24

= 39

□ + 55 = 93

□ = 93−55

= 38

□ − 29 = 65

□ = 65+29 (또는 29+65)

= 94

58 + □ = 81

□ = 81−58

= 23

84 − □ = 56

□ = 84−56

= 28

48 + 36 = 84

47 + 28 = 75

86 − 27 = 59

65 − 37 = 28





## 56·57쪽

응용연산

1 아래 두 수의 합이 위의 수가 됩니다. 빈칸에 알맞은 두 자리 수를 쓰세요.

85 / 37, 48 / 18, 19, 39

93 / 52, 41 / 25, 27, 14

95 / 53, 42 / 36, 17, 25

94 / 46, 48 / 19, 27, 21

2 위 두 수의 차가 아래의 수가 됩니다. 빈칸에 알맞은 두 자리 수를 쓰세요.

38, 92, 63 / 54, 29 / 25

45, 71, 28 / 26, 43 / 17

14, 72, 48 / 58, 24 / 34

16, 86, 57 / 70, 29 / 41

3 같은 모양은 같은 수를 나타냅니다. □ 안에 알맞은 수를 쓰세요.

54 + ■ = 81, 85 − ■ = 58 (■ = 27)

93 − ● = 38, ● + 26 = 81 (● = 55)

⬟ − 15 = 28, 37 + ⬟ = 80 (⬟ = 43)

▲ + 27 = 91, ▲ − 31 = 33 (▲ = 64)

4 어떤 수를 구하고 바르게 계산하세요.

어떤 수에 28을 더해야 할 것을 잘못하여 34를 뺐더니 18이 되었습니다. 바르게 계산하면 얼마일까요?

어떤 수 구하기: 식 □−34=18 □= 52

바르게 계산하기: 식 52+28=80 답 80

어떤 수에서 16을 빼야 할 것을 잘못하여 46을 더했더니 92가 되었습니다. 바르게 계산하면 얼마일까요?

어떤 수 구하기: 식 □+46=92 □= 46

바르게 계산하기: 식 46−16=30 답 30

**58·59쪽**

4일 188

## 숫자 카드 덧셈과 뺄셈

개념원리

숫자를 한 번씩 사용하여 덧셈식 또는 뺄셈식을 완성하여 봅시다.

[6] [7] [9]: 75 + 89 = 164, 92 − 67 = 25

[5] [8] [3]: 45 + 86 = 131, 81 − 35 = 46

[4] [6] [7]: 49 + 77 = 126, 76 − 48 = 28

[2] [9] [5]: 69 + 53 = 122, 94 − 29 = 65

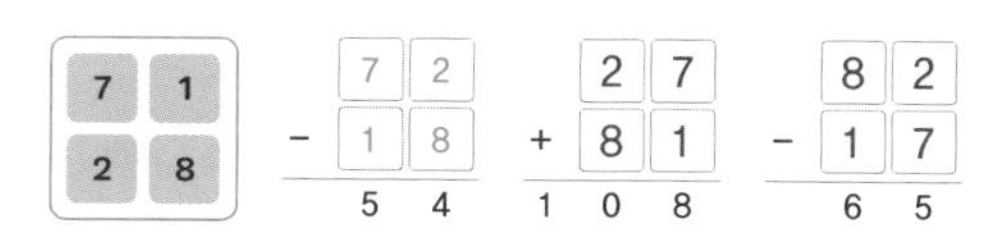

[7] [1] [2] [8]: 72 − 18 = 54, 27 + 81 = 108, 82 − 17 = 65

[5] [4] [3] [6]: 35 + 46 = 81, 63 − 45 = 18 또는 54 − 36 = 18, 53 + 64 = 117

[9] [2] [3] [7]: 92 − 37 = 55, 29 + 37 = 66, 73 − 29 = 44

[8] [3] [4] [6]: 46 + 38 = 84, 84 − 36 = 48, 84 + 36 = 120

덧셈식에서는 같은 자리 숫자끼리 바꿀 수 있습니다.





**60·61쪽**

응용연산

1 주어진 숫자를 한 번씩 사용하여 계산 결과가 가장 큰 덧셈식과 계산 결과가 가장 작은 뺄셈식을 만들고 계산하세요.

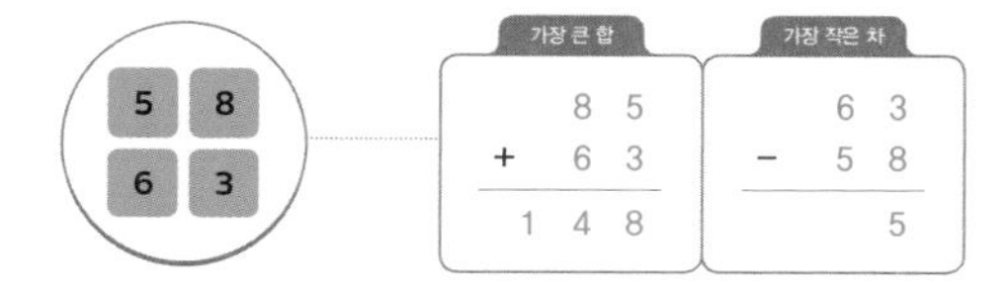

[5] [8] [6] [3]: 가장 큰 합 85 + 63 = 148, 가장 작은 차 63 − 58 = 5

[4] [9] [8] [6]: 가장 큰 합 94 + 86 = 180, 가장 작은 차 94 − 86 = 8

[2] [4] [5] [9]: 가장 큰 합 92 + 54 = 146, 가장 작은 차 52 − 49 = 3

덧셈식에서는 같은 자리 숫자끼리 바꿀 수 있습니다.

2 일의 자리 숫자가 8인 두 자리 수와 십의 자리 숫자가 5인 두 자리 수가 있습니다. 이 두 수의 합이 83일 때 □ 안에 알맞은 수를 쓰세요.

[2]8, 5[5]

3 십의 자리 숫자가 9인 두 자리 수에서 일의 자리 숫자가 7인 두 자리 수를 빼면 56입니다. 두 수를 각각 구하세요.

두 수: 93, 37

4 숫자 카드를 보고, 물음에 답하세요.

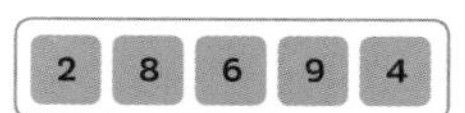

[2] [8] [6] [9] [4]

숫자 카드로 만든 두 자리 수 중에서 십의 자리 숫자가 6인 가장 작은 수와 십의 자리 숫자가 4인 가장 큰 수의 차는 얼마일까요?

62−49=13 **13**

숫자 카드로 만든 두 자리 수 중에서 십의 자리 숫자가 4인 가장 큰 수와 일의 자리 숫자가 8인 가장 작은 수의 합은 얼마일까요?

49+28=77 **77**

62·63쪽

5일 형성평가

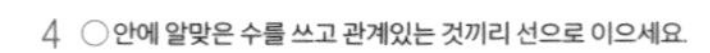

1 계산 결과에 맞게 길을 그리세요.

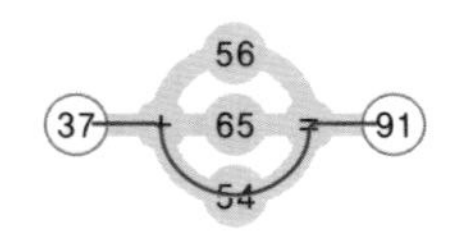


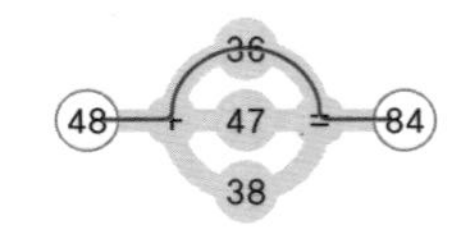


2 빈칸에 알맞은 수를 쓰세요.

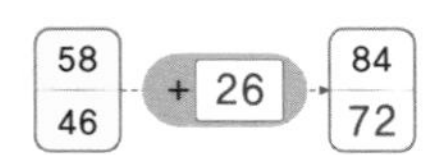


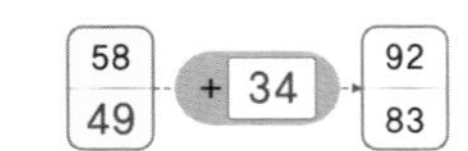


3 43에 어떤 수를 더한 수는 27보다 63 큰 수입니다. 어떤 수를 □라 하여 식을 세우고, 어떤 수를 구하세요.

식 43+□=90 □= 47

4 ○안에 알맞은 수를 쓰고 관계있는 것끼리 선으로 이으세요.

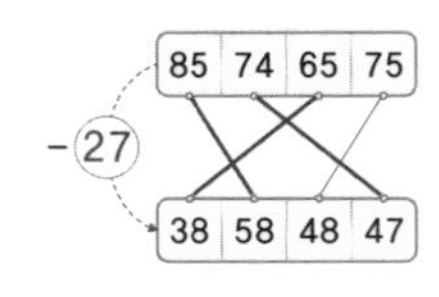


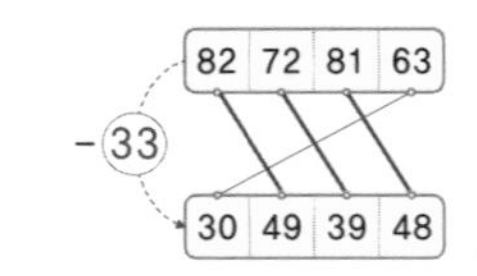


5 0에서 9까지의 수 중 □ 안에 들어갈 수 있는 수를 모두 구하세요.

72-2□<46 7, 8, 9

6 몇을 □라 하여 식을 세우고 □의 값을 구하세요.

우표가 몇 장 있었습니다. 친구에게 36장을 주었더니 39장 남았습니다.

식 □-36=39 □= 75





64쪽

7 아래 두 수의 합이 위의 수가 됩니다. 빈칸에 알맞은 수를 쓰세요.

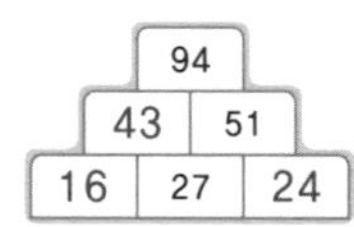




8 어떤 수에서 27을 빼야 할 것을 잘못하여 37을 더했더니 74가 되었습니다. 바르게 계산하면 얼마일까요?

어떤 수 구하기: 식 □+37=74 □= 37

바르게 계산하기: 식 37-27=10 답 10

9 일의 자리 숫자가 6인 두 자리 수와 십의 자리 숫자가 3인 두 자리 수가 있습니다. 이 두 수의 합이 81일 때 □ 안에 알맞은 수를 쓰세요.

4 6 3 5

# 세 수의 계산

66·67쪽

1일 189 세 수의 혼합 계산 (1)

개념원리 세 수의 계산을 해 봅시다.

29+17−18= 28
46

| | 2 | 9 |
|---|---|---|
| + | 1 | 7 |
| | 4 | 6 |

| | 4 | 6 |
|---|---|---|
| − | 1 | 8 |
| | 2 | 8 |

+, −가 함께 있는 세 수의 계산은 앞에서부터 순서대로 합니다.

54−36+49= 67
18

| | 5 | 4 |
|---|---|---|
| − | 3 | 6 |
| | 1 | 8 |

| | 1 | 8 |
|---|---|---|
| + | 4 | 9 |
| | 6 | 7 |

48+18+37= 103
66

| | 4 | 8 |
|---|---|---|
| + | 1 | 8 |
| | 6 | 6 |

| | 6 | 6 |
|---|---|---|
| + | 3 | 7 |
| 1 | 0 | 3 |

91−25−38= 28
66

| | 9 | 1 |
|---|---|---|
| − | 2 | 5 |
| | 6 | 6 |

| | 6 | 6 |
|---|---|---|
| − | 3 | 8 |
| | 2 | 8 |

54+36−49=41
73−28+37=82
37+59+25=121
85−39−26=20
61−43+57=75
47+55−64=38
76−29−28=19
27+36+18=81
15+76−34=57
82−48+38=72
27+38+45=110
69+25−47=47
86−19+26=93
43+47−24=66




68·69쪽

응용연산

1 사다리를 타고 내려가는 길의 계산에 맞게 빈칸에 알맞은 수를 쓰세요.

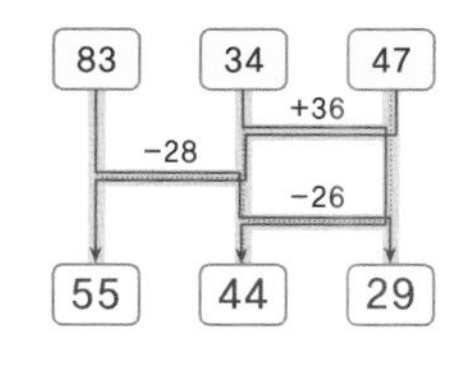


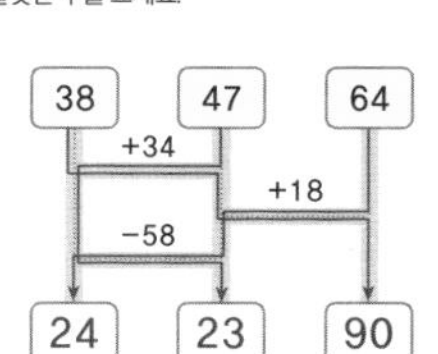


2 ○안에 + 또는 −를 채우세요.

35 (+) 46 (−) 23=58
24 (+) 37 (+) 48=109
56 (+) 26 (−) 35=47
84 (−) 49 (+) 57=92
72 (−) 53 (+) 47=66
96 (−) 18 (−) 39=39
49 (+) 36 (+) 16=101
61 (−) 34 (+) 45=72

3 약속에 맞게 계산하세요.

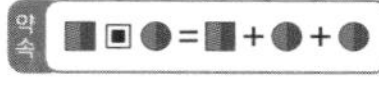

54▣19= 92
=54+19+19
=92

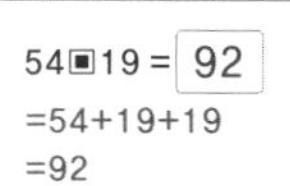

92◐27= 38
=92−27−27
=38

4 버스에 36명이 타고 있었습니다. 정류장에 도착하여 19명이 내리고 16명이 탔습니다. 지금 버스에 타고 있는 사람은 몇 명일까요?

식 36−19+16=33 답 33 명

5 봉지 안에 사탕이 64개 들어 있었습니다. 그중에 29개를 먹고, 17개를 더 넣었습니다. 봉지 안에 들어 있는 사탕은 몇 개일까요?

식 64−29+17=52 답 52 개

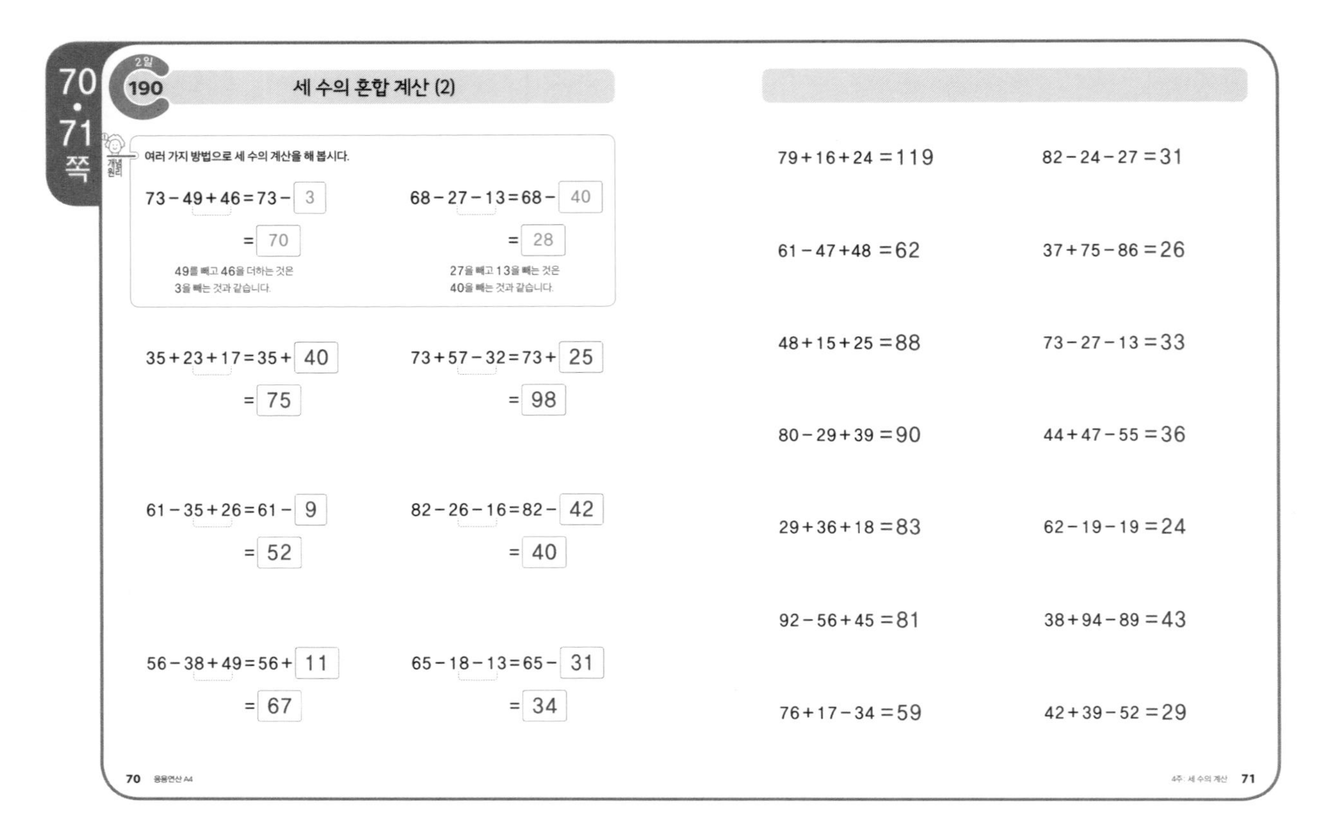

70·71쪽

2일 190 세 수의 혼합 계산 (2)

여러 가지 방법으로 세 수의 계산을 해 봅시다.

73 − 49 + 46 = 73 − 3
= 70
49를 빼고 46을 더하는 것은 3을 빼는 것과 같습니다.

68 − 27 − 13 = 68 − 40
= 28
27을 빼고 13을 빼는 것은 40을 빼는 것과 같습니다.

35 + 23 + 17 = 35 + 40
= 75

73 + 57 − 32 = 73 + 25
= 98

61 − 35 + 26 = 61 − 9
= 52

82 − 26 − 16 = 82 − 42
= 40

56 − 38 + 49 = 56 + 11
= 67

65 − 18 − 13 = 65 − 31
= 34

79 + 16 + 24 = 119

82 − 24 − 27 = 31

61 − 47 + 48 = 62

37 + 75 − 86 = 26

48 + 15 + 25 = 88

73 − 27 − 13 = 33

80 − 29 + 39 = 90

44 + 47 − 55 = 36

29 + 36 + 18 = 83

62 − 19 − 19 = 24

92 − 56 + 45 = 81

38 + 94 − 89 = 43

76 + 17 − 34 = 59

42 + 39 − 52 = 29

70 응용연산 A4 / 4주: 세 수의 계산 71

72·73쪽

응용연산

1 계산 결과에 맞게 길을 그리세요.

76: +18, +29, −24, −33 → 81

68: +14, +16, +15, +17 → 98

52: +38, +48, −37, −49 → 41

88: −24, −11, −14, −23 → 51

2 색칠한 막대의 길이를 구하세요.

57, 29 / 34 → 52

15, 67 / 25 → 57

81 / 29, 31 → 21

57, 18, 13 → 88

3 규칙에 따라 수를 썼습니다. □ 안에 알맞은 수를 쓰세요.

39 / 15, 24 / 48

57 / 36, 47 / 68

65 / 28, 19 / 56

98 / 84, 79 / 93

4 유정이는 목걸이를 만드는 데 구슬 65개를 사용했습니다. 형진이는 유정이보다 구슬을 18개 적게 사용했습니다. 두 사람이 사용한 구슬은 모두 몇 개인지 알아봅시다.

형진이가 사용한 구슬은 몇 개일까요?

식 65 − 18 = 47 답 47개

두 사람이 사용한 구슬은 모두 몇 개일까요?

식 65 + 47 = 112 답 112개

5 빨간색 구슬은 48개이고, 파란색 구슬은 빨간색 구슬보다 16개가 더 적습니다. 빨간색 구슬과 파란색 구슬은 모두 몇 개일까요?

식 48 + 48 − 16 = 80 답 80개

72 응용연산 A4 / 4주: 세 수의 계산 73

## 74·75쪽

3일 191 거꾸로 계산하기

개념원리 두 가지 방법으로 세 수의 계산을 해 봅시다.

45 →(+27) 72 →(−38) 34 (−27, +38)

45 + 27 − 38 = 34
34 + 38 − 27 = 45

거꾸로 계산할 때에는 +는 −로, −는 +로 계산합니다.

25 →(+29) 54 →(+18) 72 (−29, −18)

25 + 29 + 18 = 72
72 − 18 − 29 = 25

88 →(−16) 72 →(−45) 27 (+16, +45)

88 − 16 − 45 = 27
27 + 45 + 16 = 88

36 →(+27) 63 →(−34) 29

36 + 27 − 34 = 29
29 + 34 − 27 = 36

37 + 26 + 29 = 92
92 − 29 − 26 = 37

45 + 48 − 39 = 54
54 + 39 − 48 = 45

94 − 36 + 17 = 75
75 − 17 + 36 = 94

72 − 15 − 29 = 28
28 + 29 + 15 = 72

63 + 18 − 23 = 58
58 + 23 − 18 = 63

35 + 29 + 17 = 81
81 − 17 − 29 = 35

87 − 38 + 15 = 64
64 − 15 + 38 = 87

24 + 59 − 33 = 50
50 + 33 − 59 = 24

51 − 18 − 14 = 19
19 + 14 + 18 = 51

93 − 46 + 42 = 89
89 − 42 + 46 = 93





## 76·77쪽

응용연산

1 빈칸에 알맞은 수를 쓰세요.

74, −27 → 47, +35 → 82

−27, +35: 74 → 47 → 82

29, +38 → 67, −19 → 48

+38, −19: 29 → 67 → 48

2 사다리를 타고 내려가는 길의 계산에 맞게 빈칸에 알맞은 수를 쓰세요.

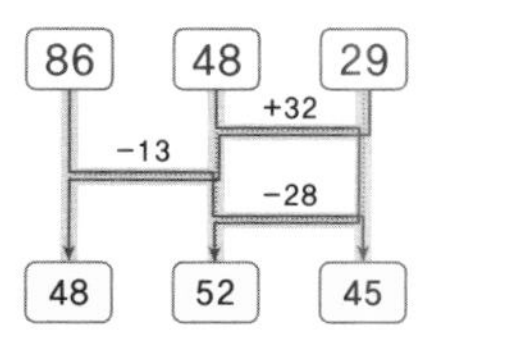


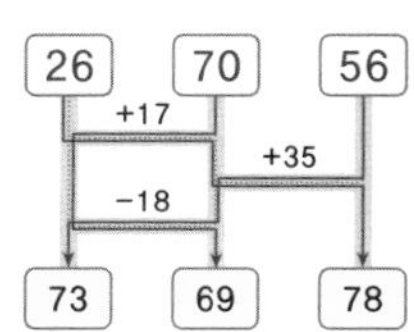


3 같은 모양은 같은 수, 다른 모양은 다른 수를 나타냅니다. ★은 얼마일까요?

♥ − 15 + 38 = 62
★ + 57 − 48 = ♥ (39)

★ = 30

4 어떤 수에 26을 더하고 37을 뺐더니 53이 되었습니다. 어떤 수를 □라 하여 식을 세우고 □의 값을 구하세요.

식 □+26−37=53  □= 64

5 빨간색 구슬이 몇 개 있습니다. 파란색 구슬은 빨간색 구슬보다 28개 더 많고, 노란색 구슬은 파란색 구슬보다 15개 더 적습니다. 노란색 구슬이 45개라고 할 때 빨간색 구슬은 몇 개일까요?

식 □+28−15=45  답 32 개

6 사탕이 몇 개 있었습니다. 영호가 19개 먹고, 동생이 16개 먹었더니 사탕이 17개 남았습니다. 처음에 사탕은 몇 개 있었을까요?

식 □−19−16=17  답 52 개

4일 192

## □가 있는 세 수의 계산

개념원리 그림을 보고 세 수의 계산에서 □의 값을 구해 봅시다.

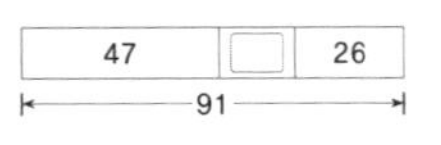


47 + 18 + 26 = 91

91 − 47 − 26 = 18

42 / 17 / 83

42 + 58 − 17 = 83

83 + 17 − 42 = 58

62 / 19 / 27

62 − 16 − 19 = 27

62 − 19 − 27 = 16

47 / 25 / 34

47 + 25 − 38 = 34

47 + 25 − 34 = 38

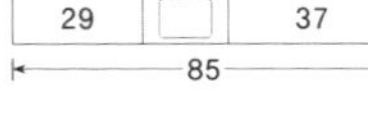


29 + 19 + 37 = 85

85 − 29 − 37 = 19

35 / 41 / 24

35 + 30 − 41 = 24

41 + 24 − 35 = 30

15 / 46 / 27 / 88

15 + 46 + 27 = 88

38 / 44 / 56 / 26

38 + 44 − 26 = 56

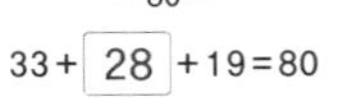


82 − 18 − 45 = 19

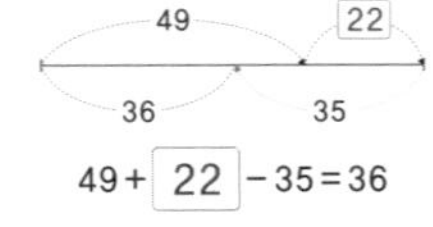


35 + 39 − 47 = 27

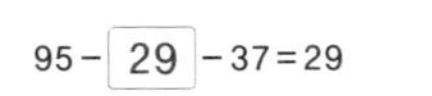


80

33 + 28 + 19 = 80

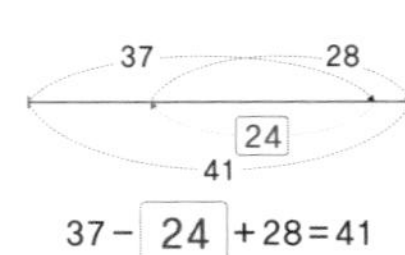


49 + 22 − 35 = 36

95 / 29 / 37 / 29

95 − 29 − 37 = 29

37 / 28 / 24 / 41

37 − 24 + 28 = 41





80 · 81 쪽

응용연산

1 □ 안의 값을 구하는 식을 찾아 ○표 하고, □ 안에 알맞은 수를 쓰세요.

17 + 48 + 29 = 94 — 94 + 17 + 29, 94 + 17 − 29, 94 − 17 + 29, (94 − 17 − 29)

56 − 50 + 37 = 43 — 56 − 37 + 43, 43 + 37 − 56, (56 + 37 − 43), 43 + 37 + 56

83 − 32 − 19 = 32 — 83 + 19 + 32, 83 + 19 − 32, 83 − 19 + 32, (83 − 19 − 32)

2 □ 안의 수가 같은 것끼리 선으로 이으세요.

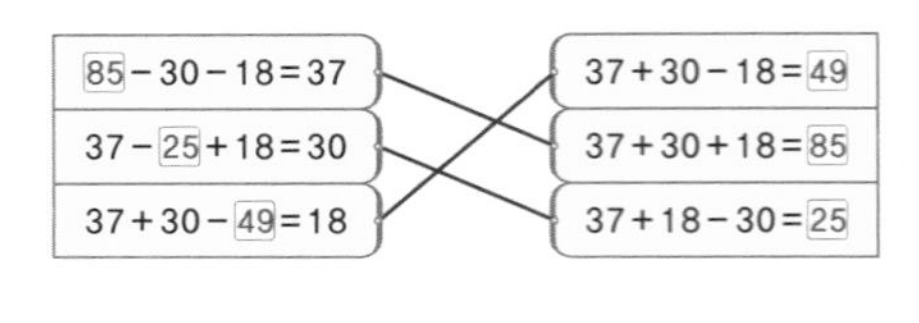

85 − 30 − 18 = 37
37 − 25 + 18 = 30
37 + 30 − 49 = 18
37 + 30 − 18 = 49
37 + 30 + 18 = 85
37 + 18 − 30 = 25


3 4부터 9까지의 수를 한 번씩 사용하여 계산한 값이 가장 크게 되도록 다음 식을 완성하려고 합니다. 계산 결과를 구하세요.

97 − 45 + 86 계산 결과: 138

9와 8, 7과 6의 자리는 서로 바뀔 수 있습니다.

4 39와 57의 합에서 어떤 수를 뺐더니 46이 되었습니다. 어떤 수를 □라 하여 식을 세우고 □의 값을 구하세요.

식 39+57−□=46 □= 50

5 밑줄 친 몇을 □라 하여 식을 세우고 물음에 답하세요.

재현이는 공책을 32권 가지고 있었습니다. 동생에게 몇 권을 주고 형에게 27권을 받았더니 43권이 되었습니다. 재현이가 동생에게 준 공책은 몇 권일까요?

식 32−□+27=43 답 16 권

버스에 45명이 타고 있었습니다. 이번 정류장에서 18명이 내리고 몇 명이 탔더니 41명이 되었습니다. 이번 정류장에서 버스에 탄 사람은 몇 명일까요?

식 45−18+□=41 답 14 명

82·83쪽

5일 형성평가

1 사다리를 타고 내려가는 길의 계산에 맞게 빈칸에 알맞은 수를 쓰세요.

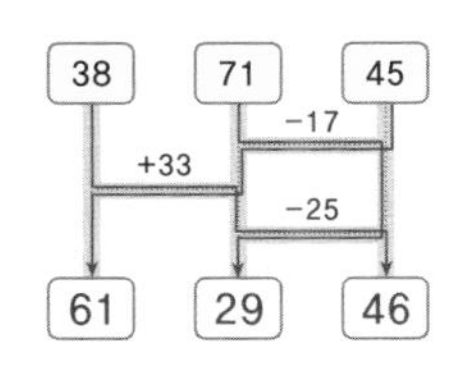


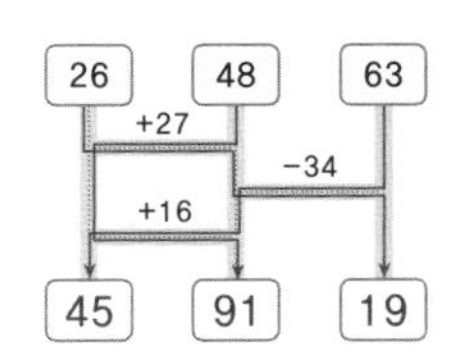


2 ○ 안에 + 또는 −를 채우세요.

56 (+) 26 (−) 35 = 47

84 (−) 49 (+) 57 = 92

72 (−) 53 (+) 47 = 66

96 (−) 18 (−) 39 = 39

3 바구니에 귤 36개가 들어 있었습니다. 그중에 17개를 먹고 55개를 더 넣었습니다. 바구니 안에 들어 있는 귤은 모두 몇 개일까요?

식 36−17+55=74 답 74 개

4 계산 결과에 맞게 길을 그리세요.

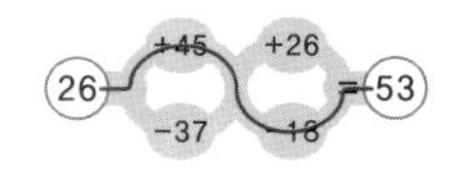


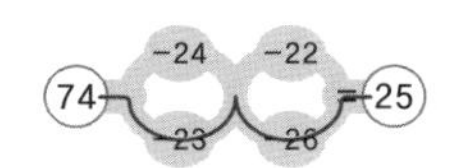


5 공원에 비둘기 36마리가 있고, 참새는 비둘기보다 19마리 더 많습니다. 공원에 있는 참새와 비둘기는 모두 몇 마리일까요?

식 36 + 36 + 19 = 91 답 91 마리

6 빈칸에 알맞은 수를 쓰세요.

76 / +17 ➡ 93 / −28 ➡ 65

+17 −28
76 ➡ 93 ➡ 65

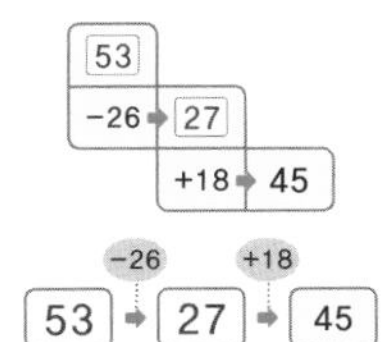


−26 +18
53 ➡ 27 ➡ 45





84쪽

7 과일 가게에 사과가 몇 개 있었습니다. 어제 24개를 팔았고, 오늘 38개를 팔았더니 19개가 남았습니다. 처음에 과일 가게에 있던 사과는 몇 개였을까요?

식 □−24−38=19 답 81 개

8 □ 안의 값을 구하는 식을 찾아 ○표 하고, □ 안에 알맞은 수를 쓰세요.

71 − 29 − 15 = 27

| 71 + 15 + 27 | 71 + 15 − 27 |
|---|---|
| 71 − 15 + 27 | (71 − 15 − 27) |

9 86과 38의 차에 어떤 수를 더했더니 72가 되었습니다. 어떤 수를 □라 하여 식을 세우고 □의 값을 구하세요.

식 86−38+□=72 □= 24

Memo

# Memo

“

**Numbers rule the universe.**

”

"수가 우주를 지배한다"

*Pythagoras, 피타고라스*